NEW
서울대 선정
인문고전
60선

34
쑨원 삼민주의

NEW 서울대 선정 인문 고전 34

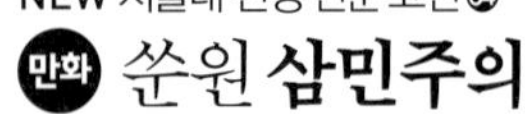

개정 1판 1쇄 인쇄 | 2019. 8. 14
개정 1판 1쇄 발행 | 2019. 8. 21

곽은우 글 | 조명원 그림 | 손영운 기획

발행처 김영사 | 발행인 고세규
등록번호 제 406-2003-036호 | 등록일자 1979. 5. 17.
주소 경기도 파주시 문발로 197 (우10881)
전화 마케팅부 031-955-3100 | 편집부 031-955-3113~20 | 팩스 031-955-3111



값은 표지에 있습니다.
ISBN 978-89-349-9459-6
ISBN 978-89-349-9425-1(세트)

좋은 독자가 좋은 책을 만듭니다. 김영사는 독자 여러분의 의견에 항상 귀 기울이고 있습니다.
독자의견전화 031-955-3139 | 전자우편 book@gimmyoung.com
홈페이지 www.gimmyoungjr.com | 어린이들의 책놀이터 cafe.naver.com/gimmyoungjr

이 도서의 국립중앙도서관 출판예정도서목록(CIP)은 서지정보유통지원시스템 홈페이지(http://seoji.nl.go.kr)와
국가자료종합목록시스템(http://www.nl.go.kr/kolisnet)에서 이용하실 수 있습니다. (CIP제어번호 : CIP2018042955)

**어린이제품 안전특별법에 의한 표시사항**

제품명 도서 제조년월일 2019년 8월 21일 제조사명 김영사 주소 10881 경기도 파주시 문발로 197
전화번호 031-955-3100 제조국명 대한민국 ⚠주의 책 모서리에 찍히거나 책장에 베이지 않게 조심하세요.

미래의 글로벌 리더들이 꼭 읽어야 할 인문고전을 만화로 만나다

주니어김영사

# '서울대 선정 인문고전 50선'이 국민 만화책이 되기를 바라며

40여 년 전, 제가 살던 동네 골목 어귀에는 아이들에게 만화책을 빌려 주는 가게가 있었습니다. 땅바닥에 검정색 비닐을 깔고 그 위에 아이들이 좋아하는 만화책을 늘어놓았는데, 1원을 내면 낡은 만화책 한 권을 빌릴 수 있었지요. 저는 그곳에서 처음으로 만화책을 접했고, 만화책을 보면서 한글을 깨쳤습니다. 어쩌면 그때 저는 만화가 가진 힘을 깨쳤다고 할 수 있습니다.

이렇게 만화책으로 시작한 책과의 인연으로 저는 책을 좋아하게 되었고, 중학교 때는 도서반장을 맡게 되었습니다. 약 10만 권의 장서를 자랑하는 학교 도서관을 매일 밤 10시까지 지키면서 참 많은 책을 읽었습니다.

또래의 아이들이 지겹게만 여기던 헤밍웨이의 《노인과 바다》를 두 손에 땀을 쥐며 네 번이나 읽었습니다. 또한 헤르만 헤세의 《데미안》을 읽으며 질풍노도의 시절을 달랬고, 김래성의 《청춘 극장》을 밤새워 읽느라고 중간고사를 망치기도 했습니다.

당시 저의 꿈은 아주 큰 도서관을 운영하는 사람이 되어 하루 종일 책을 보면서 사람들에게 필요한 책을 쓰는 작가가 되는 것이었습니다. 이제 저는 한 가지 더 큰 꿈을 가지려고 합니다. 그것은 우리나라의 아이들이 꿈과 위로를 얻고, 나아가 인생을 성찰하게 해 줄 수 있는 멋진 만화책을 만드는 일입니다.

'서울대 선정 인문고전 50선'은 서울대학교 교수님들이 추천한 '청소년들이 꼭 읽어야 할 동서양 고전' 중에서 50권을 골라 만화로 만든 것입니다. 이 책들은 그야말로 인류 문화의 금자탑이라고 할 수 있는 것이지만, 사실 제목만 알고 있을 뿐 쉽사리 읽을 엄두가 나지 않는 책들입니다.

그것을 수십 명의 중 · 고등학교 선생님들과 전공 학자들이 밑글을 쓰고, 또 수십 명의 만화가들이 고민에 고민을 거듭하여 쉽고 재미있게, 그러면서도 원서의 내용을 정확하게 전달할 수 있도록 노력하여 만들었습니다.

그래서 '서울대 선정 인문고전 50선'이 어린이와 청소년뿐만 아니라 부모님들이 함께 봐도 좋을 만화책이라고 자부합니다. 국민 배우, 국민 가수가 있듯이 만화로 읽는 '서울대 선정 인문고전 50선' 이 '국민 만화책' 이 되길 큰마음으로 바랍니다.

손영운

# 삼민주의의 진정한 의미를 생각하며

'삼민주의'는 중국의 근현대사를 이해하는 가장 중요한 개념입니다. 역사의 기록은 개별적인 중요 사건이 집합체처럼 보이지만, 곰곰이 생각해 보면 그렇지 않을 때가 많습니다. 연속적인 직선 위에 점으로 찍히는 사건이 아니라, 어떠한 점은 계속 뻗어 나가며 현재까지 의미 있기도 하답니다. 점이라고 하기엔 너무 큰 매듭처럼 뭉쳐진 사건도 있지요. 역사를 이해할 때는 바로 이런 부분을 잘 이해할 필요가 있습니다. 어떤 사건이 시대와 맞아 떨어지고 세계의 변화 속에서 민중들의 욕구가 통합되면서, 개별 사건은 매우 특별한 그 무엇으로 탈바꿈되는 것이지요.

'삼민주의'도 마찬가지입니다. 쑨원이 초기 중화민국을 세울 때 내세웠던 삼민주의는 민족주의民族主義, 민권주의民權主義, 민생주의民生主義라는 세 가지의 주장을 모아 일컫은 말입니다. 쑨원이 외국의 역사와 문화를 연구하여 얻은 결론을 당시 중국에 맞게 변형한 정치이론이라고 할 수 있지요. 하지만 단순히 '민족, 민권, 민생'의 집합으로만 암기하는 것은 수박 겉핥기와 같은 일입니다.

근대 사상가이자 정치가였던 쑨원이 왜 '삼민주의'를 주장할 수밖에 없었는지, 그리고 그 이후 중국의 역사에 어떠한 영향을 주었는지 꼭 살펴봤으면 합니다. 또한 외국의 사상이나 이론을 수용할 때 단순 모방이나 추종의 태도를 취하지 않고, 주체적이면서 창조적으로 수용한 태도도 본받았으면 합니다. 자신을 아끼고 사랑한 뒤, 선진의 것을 수용해야 진정한 발전이 있는 것입니다. 외국의 사상과 사건이 많이 인용되지만 그 모두가 중국의 민중을 일깨우기 위함이라는 쑨원의 애민愛民과 애국愛國으로 바라

봤으면 합니다.

지금 중국은 체제를 달리하는 차이나(중화인민공화국, People's Republic of China)와 타이완(중화민국, Republic of China)으로 나누어져 있으나, 양 진영 모두 삼민주의를 계승하고 있다고 선전합니다. 1905년 초기의 삼민주의는 만주족을 몰아내고 공화국을 세우자는 주장이었는데, 일본의 공격과 외세의 침략이라는 시대적인 영향 속에서 반제국주의와 반군벌의 사상까지 포함합니다. 그리고 1924년에는 공산公産의 생산방식을 강조하며 공산주의 계열의 삼민주의가 추가되었지요. 타이완으로 건너간 장제스 총통은 공산주의 부분을 배격하고 오히려 반공反共적 성격을 더했고, 중국 대륙을 통일한 마오쩌둥은 민생주의의 한 주장이던 '경작자가 토지를 소유한다.'는 내용을 적극 수용하여, '신삼민주의新三民主義'로 발전시켰습니다. 동일한 것이라도 받아들이기에 따라 얼마나 다를 수 있는지 알 수 있지요.

하지만 쑨원이 염원했던 대로의 혁명은 이루어지지 못했고, 다 같이 잘사는 중국의 발전도 일궈내지 못했기에 안타깝기도 합니다. 여러분도 위기의 시대를 어떻게 맞이하고 대처해야 하는지에 관한 쑨원의 고민을 함께 읽었으면 합니다.

끝으로 담임선생님이 작업 중인 《삼민주의》에 많은 관심을 보이며 수업시간에 배운 중국사와 세계사를 읊어주고 자료까지 찾아왔던 이효정 학생에게 고마움을 전합니다.

곽우우

# 중국 민족의 아버지, 쑨원을 만나는 시간

어느덧 〈서울대 선정 인문고전 50선〉을 시작한 지도 3년여의 시간이 흘렀습니다. 처음 인문만화를 접하면서 적지 않은 부담감이 저를 짓눌렀지만 인문만화에 등장하는 수많은 이론과 훌륭한 인물 들이 다시 한 번 식어가던 저의 만화 열정에 불씨를 살려 주기에 충분했습니다. 그리고 이번 세 번째 작품에서는 제가 늘 존경하던 혁명가 쑨원 선생님과의 만남으로 이어지는 행운까지 찾아왔던 것입니다. 미흡한 저에게 〈서울대 선정 인문고전 50선〉에서 3권의 작업에 참여시켜 주신 주니어김영사 관계자 님들에게 감사의 말을 전합니다.

21세기 대한민국에 살고 있는 우리는 어떨까요? 우리는 지금도 좌우, 진보와 보수, 노동자와 사업주, 또 지역주의에 휩싸여 서로를 불신하고 상대방과 소통하지 않고 자신의 주장만이 진실한 것이라고 왜곡해 해석하고 있지는 않은지 생각해 봅니다. 현실을 살고 있는 우리들도 과거의 중국과 같이 '모래알 국민' 이라는 데서 자유로울 수 있을까요?

과거 중국에 이런 민족의 분열과 국가의 위기를 타개하기 위해 민주공화국 정부 수립을 외치던 혁명가가 있었으니 중국 민족의 아버지, 바로 쑨원입니다. 쑨원은 중국

혁명의 선도자로 공화제를 창시하고 국민정부시대에는 국부國父로서 최고의 존경을 받았습니다.

쑨원의 정치사상은 민족民族, 민권民權, 민생民生, 즉 삼민주의로 대표됩니다. 그것은 태평천국太平天國운동의 혁명적 전통을 이어받고 19세기의 자연과학(진화론), 프랑스의 혁명사상(인민주권설)과 영국의 사회학설(H.조지의 단세론)을 받아들여 중국 현실에 적용시킨 것이었습니다. 만년에는 연소聯蘇, 용공容共, 농공부조農工扶助의 3대 정책으로 발전시키며 자본주의의 폐해를 미연에 막으려는 '자본절제'와 토지개혁을 내용으로 하는 '경자유전耕者有田'의 견해를 표명하여, 제국주의 단계의 후진국 혁명이론으로써 특권과 독점을 반대하는 삼민주의로 크게 발전시키기도 했죠. 또한 대한민국 임시정부를 지원한 공으로 건국훈장 대한민국장을 받기도 했으니 우리나라와도 깊은 인연이 있다고도 할 것입니다.

자, 이제 쑨원 선생님의 혁명 속으로 우리 모두 고고씽!

조명원

| 차 례 |

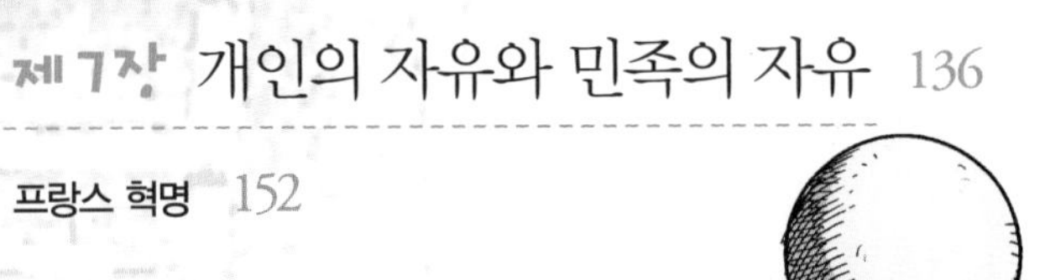

삼민주의

제1장

# '삼민주의'란 무엇일까?

요즘은 뭐만 하면 '주의' 가 붙는 것 같아.

OO주의

개인주의, 세계주의, 경제 제일주의 등등. 무엇이든 오래되기만 하면 '주의' 가 붙는 것일까?

도대체 민주주의, 이상주의, 현실주의 그러는데 '주의' 가 뭐지?

여러 사람들이 체계적으로 연구하고 그에 걸맞은 이론적 틀을 갖추고 있는 이론을 우리는 '주의' 라고 불러.

*청 – 중국의 마지막 왕조(1636~1912). 여진족의 누르하치가 여러 부족을 통일하여 후금을 세우고, 그 아들 태종이 국호를 청이라 고쳤으나 신해혁명으로 멸망했다.

중국은 이와 관련한 크고 작은 전쟁에서
패하였고,

그로 인해 많은 전쟁 분담금을
외국에 지급해야 했어.
전쟁 분담금

그러다 보니, 국가 재정은
고갈되었고
국가 재정

백성이 내야 하는 세금은 점점
불어나게 되었지.
세금

백성은 열심히 일해도 제대로
먹지도, 입지도 못하는 빈궁한
생활이 지속될 수밖에 없었어.
앙앙…
밥 줘!

뿐만 아니라 고통을 겪는 백성은
아랑곳없이 외국세력과 결탁해
이권
$

이권을 챙기는 탐관오리들 때문에
백성의 생활은 더욱 힘들었어.
이면계약
독과점
노역착취

이러한 때에 부패한 청나라를 무너뜨리고 백성의 정치적 권리를
찾아야 하며, 중국이 부강해지기 위해서는 중국 민족의 대단결이
필요하다는 생각을 한 사람이 있었으니, 그가 바로 쑨원이지.
무르르

한족이
대동단결하여
중국을
만들자.

결국 삼민주의는 중국의 시대적 · 국가적
위기를 극복하기 위하여
청
삼민
주의

민족의 대단결로 새로운
사회를 만들자는
혁명 이론이야.
혁명

어렸을 때부터 외국에 나가
공부하면서도

늘 중국에 대해 열정을 쏟아
부었던 쑨원은
중국
내 조국.

'삼민주의' 야말로 중국을 근대화로
이끌 수 있다고 생각했어.
삼민주의만이
살 길이야!

이러한 확신을 가지고 청년 시절부터 생을 마감할 때까지
중국 전역에 '삼민주의' 운동을 일으켰지.
삼민주의

이 삼민주의는 중국인 한 사람에게서 나온
이론이지만,
삼민주의
쑨원

전 세계의 다양한 이론과 경향을
연구하고
자본주의
왕권주의
산주의

현실적으로도 가능하도록 중국인에게
가장 필요한 이론으로
바꾸어
삼민
주의

체계화시켰다는 점을 높이
평가해야 해.
우수

외국에서 공부하다 보면 외국 문물을
좋아하게 되고,
헤이~ 와썹맨
와!
짱이다.

외국 사상을 그대로 가져와서
자기 나라에서 받아들여야
한다고 주장하는 사람이 많잖아?
이것 봐
외제야.
좋지?
개인주의

그런데 쑨원은 그렇지 않았어.
그건 아니지!
개인주의

청소년기와 20대 때 외국에 나가 공부할 때나, 또 어른이 된 뒤에도 언제나 중국을 먼저 생각하고,

다른 나라의 이론이 아닌 중국 고유의 이론을 만들어야 한다는 생각뿐이었지.

중국에서 필요한 것이 무엇인지, 중국이 잘 살기 위해서는 무엇을 해야 하는지에 대해

늘 연구한 끝에 나온 결론이 삼민주의인 거야.

당시 쑨원이 몸소 체험한 서양 세계는 여러 이념과 주의로 넘쳐나고 있었어.

강한 나라가 작은 나라를 식민지로 만들어 영토를 확장하는 제국주의,

마르크스 이후로 더욱 강력해진 사회주의*,

그리고 세계주의* 등 미래사회에 대한 각기 다른 시각으로 이념화한 이론들로 시끄러웠지.

*사회주의 – 사유 재산 제도를 폐지하고 생산 수단을 사회화하여 자본주의 제도의 사회적 · 경제적 모순을 극복한 사회 제도를 실현하려는 사상이나 운동.

*세계주의 – 개인이 국가와 민족을 초월해 자신을 세계 사회의 일원으로 파악하는 사상 및 양식.

제국주의나 사회주의 때문에 국가 사이에 전쟁이 일어나기도 하고,

한 나라에선 혁명으로 많은 사람이 죽기도 하고 말이야.

***자본주의** – 생산 수단을 소유한 자본가가 이윤 획득을 위하여 생산 활동을 하도록 보장하는 사회 경제 체제.

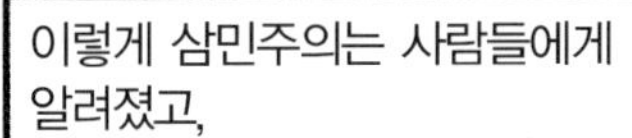

우리나라도 쑨원과 같은 시대에 국민을 계몽하기 위해 애쓴
민족 지도자가 있었지만,

***신해혁명** – 1911년, 중국의 민주주의 혁명으로, 쑨원을 대총통으로 하는 중화민국이 탄생했다.

아는 것을 행동으로 옮기는 것은 쉬워도, 모르는 것을 실천할 수는 없다는 거야.
?
자본주의
군국
사회주의
전제주의

사회주의가 왜 나쁜지 모르면 사회주의를 그대로 받아들이고,
배 고파요.
그래서!

자본주의가 왜 나쁜지 모르면 자본주의를 행할 수밖에 없는 거야.
그거 좋은 거예요?
자본
너도 키워 봐.

모든 국민이 알아야 비로소 실천할 수 있다는 것을 힘 주어 말했어.
아~ 그렇구나.
자본주의
사회주의

《삼민주의》에서 다루고 있는 핵심은 '민족주의', '민권주의', '민생주의' 세 개의 주의야.
민족주의
민권주의
민생주의
각각 무엇을 의미하는지 한번 살펴보자고.

우선 민족주의(民族主義)에 대해서 말해 줄게.
민족주의

당시 중국은 만주족인 청나라가 통치하고 있었어.
청나라

그러다보니 만주족의 왕이 중국을 지배하고 있었지.

어렸을 때 외국에 나가 공부하고 왔던 쑨원은 왕조 정치의 한계를 느꼈고,
꺼억!

만주족이라는 이질 민족에 의한 통치 체제에 거부감을 갖게 되었어.
차별
소수 민족

그래서 중국이 잘 살 수 있는 길은 중국의 정통 한족들이 뭉쳐서
단합해야 해.

만주족의 왕조를 몰아 내야 한다는 주장을 펼치지.
그것이 바로 '민족주의'야.

민족주의!

중국은 영토도 넓고, 인구도 많았기 때문에

각 지방마다 왕과 같은 권력을 갖는 영주가 있었어.

그래서 각 지방끼리의 단합은 잘 되었어.

그러나 중국 전체가 민족 단합을 이루어 내야 한다는 주장을 내세운 사람은 없었지.

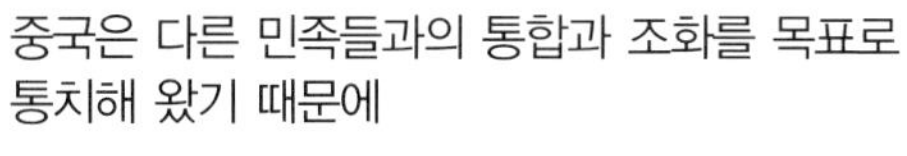

중국은 다른 민족들과의 통합과 조화를 목표로 통치해 왔기 때문에

더욱이 '민족성'에 대한 개념이 별로 없었어.

하지만 서양의 제국주의 국가들이

거대한 군사력을 동원하여 동아시아에서 경제 이권을 자꾸 침탈해 가려 하자,

중국의 단결된 힘이 더욱 거세게 요구되었던 거야.

하지만 만주족의 통치로 인하여 민족이 단합된 힘을 갖기란 현실적으로 많이 어려웠지.

뿐만 아니라 계속된 전쟁과 질병으로 인구는 계속 감소했어.

쑨원은 민족의 힘이란

인구와도 밀접하게 연결된다고 믿었어.

그래서 좀 더 인구를 늘려야 하고, 이들이 단결하여 만주족이 세운 왕조를 무너뜨려야 한다며 '민족주의'를 주장했지.

삼민주의에서 첫 번째로 주장하는 게 민족주의인 것을 보면

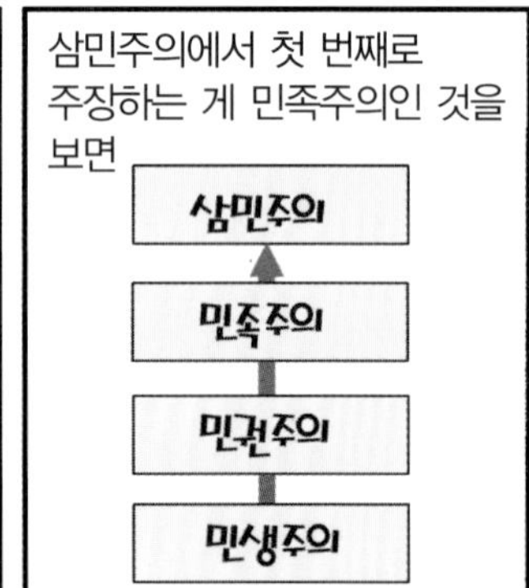


민족주의가 가장 중요한 덕목이 아니었을까?

지금처럼 세계화, 글로벌리즘* 하며 전 세계가 다 같이 경쟁하고 이익을 얻으려는 시대에는

이런 민족주의가 옛날 방식처럼 느껴질지도 몰라.

*글로벌리즘(globalism) – 개별 국가의 단위를 초월하여 세계를 하나의 통합체로 만들려는 생각이나 운동.

세계도 좋고, 지구도 좋지만

*아편 전쟁 – 1840~1842년 아편 문제를 둘러싸고 청나라와 영국 사이에 일어난 전쟁.
*청일 전쟁 – 1894년에 조선의 동학 농민 운동에 출병하는 문제로 일어난 청나라와 일본 사이의 전쟁.

물론 지금도 상징적이기는 해도
영국이나 일본처럼 군주(국왕)에 의해서
통치되는 입헌 군주제 국가가 있기는 해.

백성을 돌보지 않는 풍토가 있었는데,
이를 개선해야 한다고 믿었지.

그래서 주창한 것이
민권주의야.

즉 모든 국민에게 정치 권력자를 뽑을 수
있는 권리를 주고,

백성에 의해 뽑힌 사람들이 의회 등을
통하여 정책을 의논하는 공화제를 중국에
도입해야 한다고 했지.

지금은 당연한 것처럼
보이지만

그 당시 중국의 오랜 전통을 가진
'황제' 문화를

버리라고 말하는 것은 굉장히
파격적이었지.

바로 이런 주장 때문에 쑨원은
중국에서 쫓기는 신세가 되었고,

그를 처형하려는 사람들도
많았단다.

중국 황제가 봤을 때는 왕의 제도를
거역하는 반역자이자 불순분자였겠지.

결국 쑨원은 중국을 떠나 외국으로
도망다녀야 했어.

민권주의가 정권을 잡은 군주들에게는
얼마나 위험한 사상이었는지 알겠지?

민주공화

서양의 정치 대세인 공화정을
도입하자고 주장했으니 말이야.
공화정
의회정치

그래서 아시아에서 최초로 공화제를
도입했다는 사실에
의회

중국인들이 자부심을 가질
만도 해.
커험!

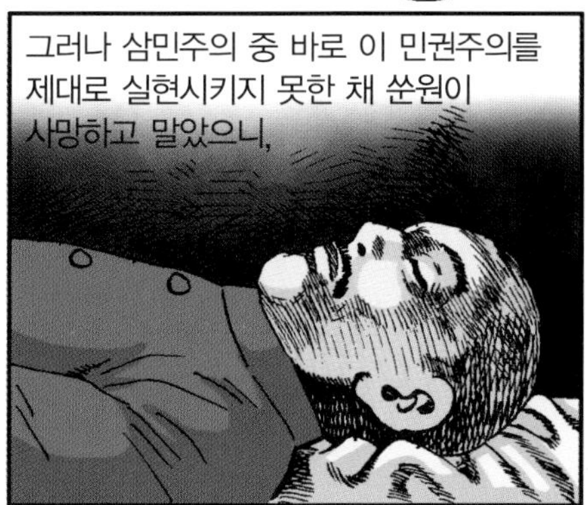
그러나 삼민주의 중 바로 이 민권주의를
제대로 실현시키지 못한 채 쑨원이
사망하고 말았으니,

그는 죽으면서도 한이
남았지.
아~
안타깝다.
미완의
혁명

그래서 '미완의 혁명을 계속 추진해
달라' 고 후계자에게 유언을 남겼단다.
장제스

마지막으로 민생주의(民生主義)야.
민생
주의

민생 하면 금방 떠오르는 게 있지?
그래, 맞아. 잘 먹고 잘 살자는 것이지.
꺼~억.
선진국

한국에서는 근대화 과정 중
새마을 운동이라고
고속도로도 만들고...

부지런히 일하고, 능률적으로
생산하여 잘 먹고, 부유해지자는
운동이 있었지?

중국의 민생주의가 이와 비슷하다고
생각하면 돼.
민생우선

아무리 정치 제도가 잘 되어 있고,
정치적 이론이 완벽해도
법률
헌법

국민이 풍족하게 먹지 못하고,
일한 만큼 소득을 얻지 못한다면
주르륵...
소득하락

가난하고 못 사는 나라가 되겠지?
국가재정

어떻게 하면 소득을 늘릴 수
있을까?
소득
국가

어떻게 하면 식량을 확보할 수
있을까에 대한 고민이
福

연설 중간중간에 터져 나오는
것을 느낄 수 있어.
식량확보
경제
성장

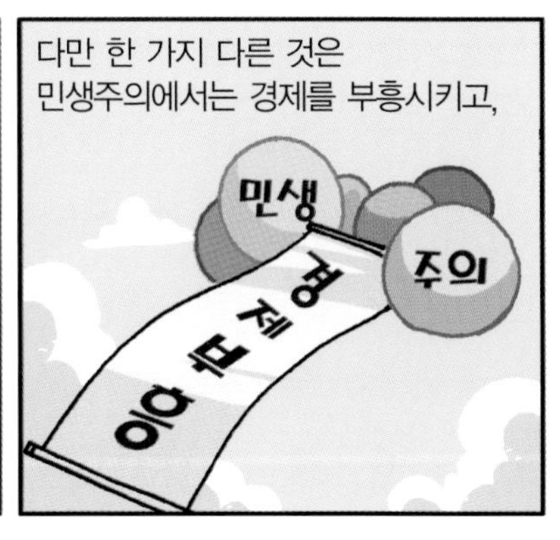
다만 한 가지 다른 것은
민생주의에서는 경제를 부흥시키고,
민생
주의
경제부흥

산업을 발전시켜서 잘 살자는 것
이외에

공산주의라는 개념을 빌려 와서, 토지의
공산화를 주장했다는 점이야.
토지 국유화
지주

외국 사례를 제시하면서,
갑자기 산업이 발전하여
산업지구
지정토지

토지값이 상승한 부분을 개인 토지
소유주가 갖는 것은 부당하다고
생각한 거야.
보상금
벼락 부자
됐다!

아무 일도 하지 않고,
국가 발전이나 상업 발전으로
이 땅
파세요.
투기꾼

땅값이 오른 것을 개인의
이득으로 삼는다면
뉴타운
백화점
대박났다!

빈부 격차가 극도로 심해진다고 예견한 것이지.
배날 일해도 깡통만...
명품족

실제로 당시 외국은 빈부 격차가 정말 심각한 사회 문제였다는군.

쑨원은 외국 생활에서 부자들 옆에서 굶어 죽어가는 빈민들을 보고
더럽게 길가에서...

이렇게 사는 것은 옳지 않다고 생각했을 거야.
이건 아니잖아

그래서 생각해 낸 것이 중국식 민생주의지.
민생주의

즉 자신이 소유한 부분에서 상승한 부분만큼의 이익을
가격 상승

같이 나누어야 한다는 주장이지.
분
배

이를테면 공산주의의 중국식 수용이라고 할 수 있어.
중국 공산주의

또는 자본주의의 보완이라고도 할 수 있고 말이야.
사회 환원

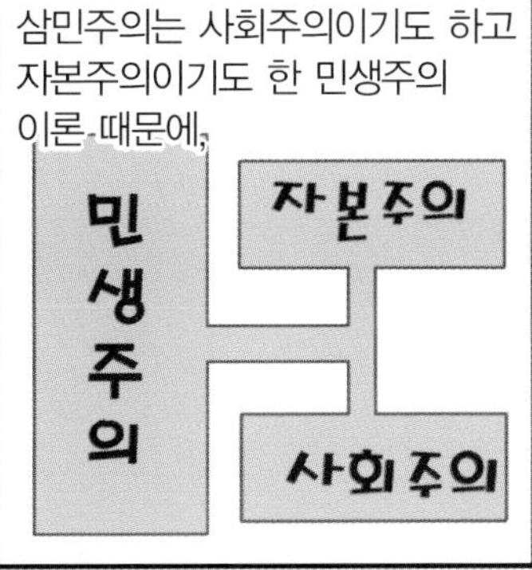
삼민주의는 사회주의이기도 하고 자본주의이기도 한 민생주의 이론 때문에,
민생주의
자본주의
사회주의

공산당으로부터도, 국민당으로부터도 각광을 받았던 것이라고 해.
삼민주의

이렇게 삼민주의를 훑어보면,

이 삼민주의가 왜 지금까지도 중국에서 널리 인정받고 있는지 알 수 있어.

민족주의라는 개념으로

세계주의 시대에도 주체성을 잃지 않은 부강한 나라의 건설을 도모한다는 것도 그렇고,

민권주의라는 개념으로

민주적 절차에 따라 모든 대중이 자유와 권리를 누릴 수 있는

정치제도를 만들어 내야 하는 것도 그렇지.

뿐만 아니라 빈부 격차가 심화될 것을 우려해

모두 다 같이 잘 먹고 잘 살자는 민생주의도 그런 거야.

실제로 중국은 근대화 과정을 거치면서 중국 본토는 중국이라는 국호로

마오쩌둥(모택동)*이 이끌었던 사회주의의 본국으로 자리를 잡았고,

*마오쩌둥(1893~1976) – 중국의 정치가.

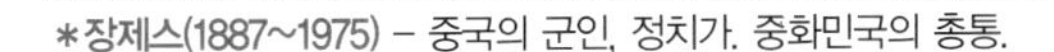
*장제스(1887~1975) – 중국의 군인, 정치가. 중화민국의 총통.

제2장
미완의 혁명가 쑨원,
그는 누구일까?

쑨원은 1866년 11월 중국 동남부 해안의 광둥성에 위치한 작은 마을인 향산현에서 태어났어.
응-애!

이곳은 옛날부터 유럽과 미국 사람들에게 개방되어 어린 아이들조차 외국 사람들을 쉽게 만날 수 있는 자유무역 항구였지.
헬로~

당시 중국은 외국에게 폐쇄적인 정책을 전개했기 때문에
필요 없어
개방

서양 사람들이 왕래할 수 있는 자유무역항은 몇 개 안 되었어.
하이~

그런 상황이었으니 국제도시에서 태어난 쑨원은 성장 배경이 남달랐다고 할 수 있지.

어려서부터 서양 사람들을 많이 접할 수 있었고,
하이!

그 덕분에 서양 사람들에 대한 두려움 같은 것은 처음부터 없었다고 봐야 해.
내가 안 무서워?
흥!

마을 사람들 중에는 중국과 외국의 무역 중개업을 하기 위해
이 기회에 한몫 챙기자.
영어

영어를 능숙하게 구사하는 사람이 많았고,
헬로 아임 어 비즈니스맨
오-!
무역

그런 일로 돈 버는 사람들이 늘어 가고 있었어.
달러

그래서 '향산 사람' 하면 외국과의 무역으로 부자가 된 상인을 가리키기도 했지.
돈방석

쑨원은 어른이 된 뒤 외국 곳곳을 돌아다니며 중국 근대화를 위한 후원금을 마련하기도 하고,

중국에 서양의 근대 체제를 도입해야 한다고 주장했어.
서양의 발전된 사상을!
정치
사회
문화

이런 평생의 여정과 출생 장소는 많은 연관성을 가졌다고 볼 수 있지.
출생지

쑨원의 집안은 넉넉한 형편이 아니었어. 동네에서 가장 가난한 다섯 집 가운데 하나였다고 하니 어느 정도였는지 알 수 있겠지?
에효!

아버지는 농사지을 땅이 없어 이웃 마을로 일자리를 구하러 다녀야 했어.

일주일 단위로 받는 주급으로

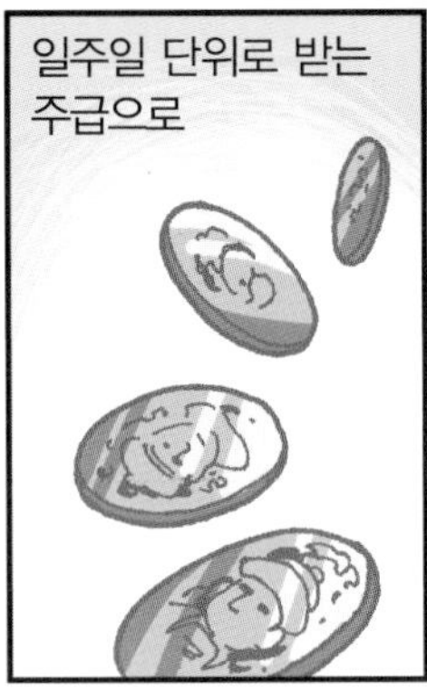

근근이 어려운 살림을 꾸려야 했고,

농사지을 땅을 마련하기 위해 쉬지 않고 일해야 했어.

물론 다른 가족도 모두 돈을 벌기 위해 일을 했어.

그렇게 길거리 장사와 여러 가지 잡일을 가리지 않고 하다 보니

살림이 조금씩 불어났어.

살림 형편이 조금 나아지자, 다섯째로 태어난 쑨원은 여덟 살이 되던 해부터 공부를 시작했다고 해.

집안 식구 중 유일하게 공부할 수 있었던 복 많은 막내였던 거야.

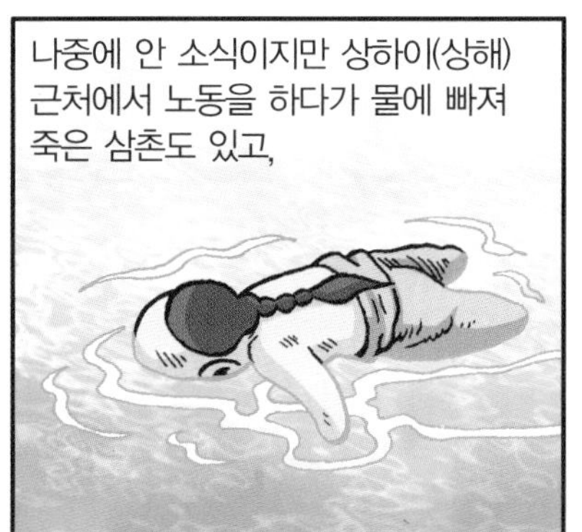

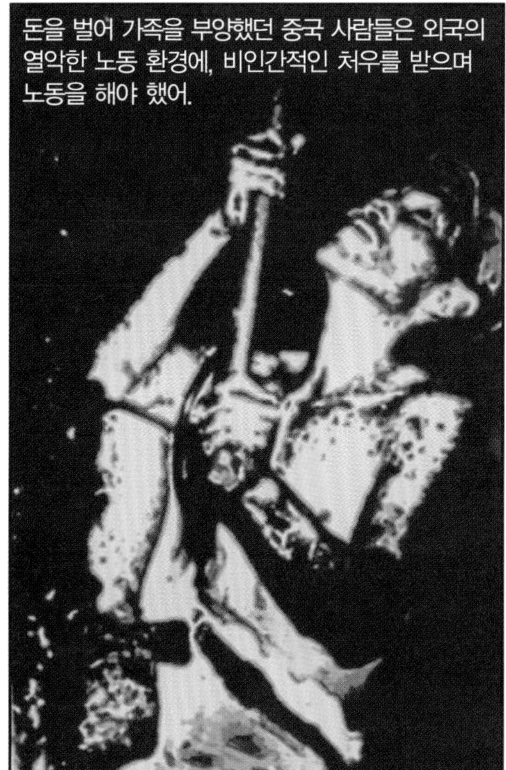

*밀수출 - 세관을 거치지 않고 몰래 물건을 내다 파는 일.

당시 미국은 흑인노예를 해방시켰기 때문에 힘든 농사일에 필요한 노동자를 구할 수 없었어.

그래서 노동 경매시장에서 중국인이 쿠바의 사탕수수 농장이나 아프리카의 커피 농장으로 값싸게 팔려 나갔다고 해.
$70
$80
$30

'돼지 수출'이라는 말이 떠돌 정도였지.

하지만 긴 세월 동안 외국에서 고통스런 노동을 한 뒤에는
1
4
8
13

돈을 모을 수 있었고, 중국에 돌아온 뒤에는 결혼도 하고
결혼 자금

집과 땅을 살 수 있는 재산가가 될 수 있었어.
드디어 내 땅이 생겼다.

쑨원의 큰형이 그랬지.
나도 할 수 있다!

큰형은 하와이 설탕 농장 노동자였던 외삼촌을 따라 하와이로 가려고 했어.

어린 쑨원은 돈 벌러 떠나는 형에게 가지 말라고 울며 매달렸어.
형아, 가지 마!

하지만 열일곱 살 큰형은 하와이로 떠나면서 쑨원에게 당부했어.
우리 집은 내가 태어나기 전부터 가난한 농사꾼 집안이었어. 아버지가 하루 노동으로 근근이 먹고살고 있지만 다섯 형제들을 다 먹여 살리기에는 역부족이야.

내가 미국에 가서 돈을 벌어 와야 우리 집안을 일으킬 수 있어.

그러니 너는 공부를 열심히 해서 학자가 돼.

아무래도 너는 돈 버는 재주보다는 학문에 재능이 있는 것 같으니 공부에 소홀함이 없어야 해!
너무 감동적이다.

그러고 나서 다시 만나면 되잖아.

이 형 말 명심해야 한다! 알았지?
그러고는 큰형은 하와이로 가는 배에 몸을 실었어.

형의 당부도 있었지만, 쑨원은 어렸을 때부터 영특하고 총명하여

어른들의 귀여움을 독차지할 정도로 학업에 뛰어났어.
쫠.쫠.쫠…

중국 고전을 공부하고 전통을 익히며 학업에 열중할 수 있었어.
논어
대학
중용
도덕경

하지만 서양 세력에 의해 좌절하는 중국의 격동기를 눈으로 보고, 몸으로 느끼던 쑨원은

어린 시절부터 남다른 의지와 열정을 키워 나가기 시작했어.

성인이 된 뒤 주창하게 되는 삼민주의는 바로 어린 시절 체험했던 가난한 농가의 아픔과

외국에게 모든 이권을 빼앗겨 버리는 무능력한 만주 왕조에 대한

저항심이 만들어 낸 정치 이념이기도 하지.

하와이로 건너간 큰형은 성실함과 남다른 사업 수완으로 성공했어.

큰형이 결혼하기 위해 중국에 돌아왔을 때

쑨원은 외국에서 공부하고 싶다는 뜻을 형에게 말했고,

형은 하와이로 되돌아갈 때 쑨원을 데리고 갔어.

열네 살이 된 쑨원은 호놀룰루에 있는 영국 성공회 초등학교에 입학했지. 선생님들은 하와이 사람 한 사람을 제외하고는 모두 영국 사람이었단다.

학생들도 주로 하와이 사람이었는데, 그중 몇 안 되는 중국인 가운데 쑨원이 끼어 있었던 거야.

하와이에는 중국 노동자의 자녀들이 다닐 수 있는 학교가 따로 없었기 때문에 당시 중국 이주민은 정규 교육을 받을 수 없었어.

나도 나도 갈래…

쩝! 돈이 없는걸.

학 교

하지만 다행스럽게도 쑨원은 성공한 큰형 덕분에 비싼 수업료를 내야 하는 영국인 학교에 다닐 수 있었어.

쑨원은 형에게 늘 고마움을 표시했고,

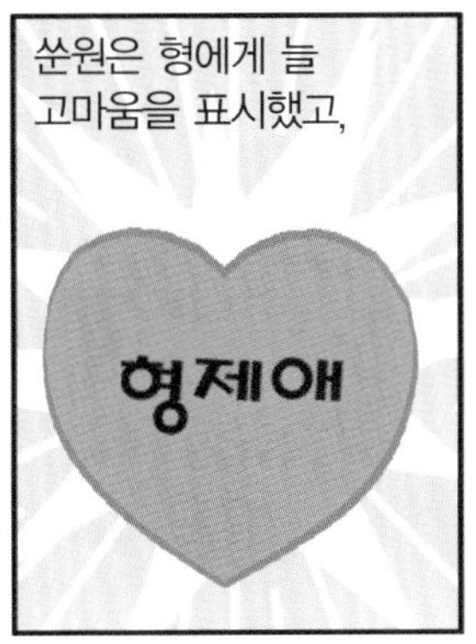


큰형은 막내 동생이 집안 최초로 학자가 될지도 모른다는 작은 소망으로

최선을 다해서 동생을 뒷바라지했어.

쑨원은 형이 운영하는 상점에서 일을 돕기도 했어. 비싼 학비와 생활비를 대 주는 형에게 무엇으로라도 갚고 싶었거든.

그런데 학교에서 공부할 때는 제일 똑똑하다고 칭찬받던 쑨원도

가게에 나가서 계산을 하고 물건을 팔 때는 주판으로 계산한 회계장부는 틀리기 일쑤였고,

정신을 집중해야 물건을 팔 수 있는 순간에도 쑨원은 멍하니 있는 경우가 많았어.

그러나 큰형은 그런 동생이 밉지 않았어.

그건 바로 중국 정통 유학에서
배척하던 기독교에 쑨원이
관심을 보였기
때문이야.

쑨원이 성당에서 일요 예배 드리는 것을 매우 못마땅하게 여기며 걱정했지.

영국인 학교에서 선교사들이 기독교 교리수업과 기도를 했기 때문에 쑨원은 서양종교에 거부감 없이 접할 수 있었던 거야.

큰형은 농장 운영과 가축 사육, 상점 경영 등으로 사업을 확장하여 전보다 훨씬 많은 돈을 벌어들였고

쑨원은 형에게 부탁해 하와이 최고의 고등교육 기관이었던 오아후 전문학교에 입학하게 되었어.

이제 쑨원은 전문 직업에 대해서 궁리하기 시작했고,

졸업과 동시에 진로에 대해 열심히 탐색하는 시기를 보내고 있었지.

교회 선교사들이 교수로 있는 대학에서는

쑨원이 세례를 받을 수 있도록 배려하였는데,

이를 극도로 두려워했던 큰형은 쑨원을 중국으로 귀향시켜 버렸지.

열일곱 살 때 중국으로 돌아온 쑨원은

서양에서 배운 지식을 사람들에게 이야기했어.

당시 중국은 보수적인 정책으로 농민들이 매우 어려운 생활을 하고 있었고,

이에 반발한 농민들은 지주의 땅을 골고루 분배해야 한다는 태평천국 운동*을 전국적으로 일으켰단다.

쑨원은 중국도 변화해야 한다고 주장하면서 동네 어른들에게 변혁과 변화에 대해 서양에서 배워 온 여러 가지를 자신감 넘치는 목소리로 얘기했어.

하지만 나이 지긋한 어르신들은 중국의 전통은 나쁜 것이고,

서양의 신식은 좋은 것이라는 식의 쑨원의 생각을 받아들일 수 없었어.

*태평천국 운동 – 1851년에 청나라에서 홍수전이 일으킨 농민 운동.

특히 쑨원은 중국의 우상숭배를 전근대적인 것으로 여기며, 동네에서 수호신으로 받들고 있었던 나무로 만든 북신(北神)을 잘라 버리기도 했어.

이 행동은 시골 사람들을 분노하게 하였고, 결국 쑨원은 고향에서 쫓겨났지.

이때 싹튼 반(反)왕조주의가 쑨원의 개혁 사상의 바탕이었다고 봐도 될 거야.

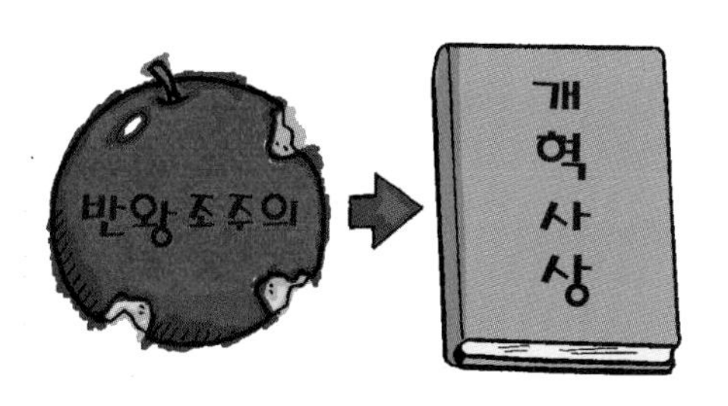

중국의 선진적인 발달을 위해서는 만주족의 왕조정치를
몰아 내는 것이 가장 시급하다고 쑨원은 생각했지.

의학공부를 하면서 우수한 재능을 발휘하던
쑨원은 이제 자신의 정치적 견해와 청나라의
미래상을 글로 다듬어 써서

당시 강하게 정치적 영향력을 펼치던
유명한 통치자에게 보내기 시작했어.

쑨원이 보낸 글들을 당시
관리들이 읽지 않았을지도
모르지만,

쑨원의 개혁 열망과 의지는 점점
더 강해지고 단단해져 갔어.

쑨원은 스물다섯 살 때 의과대학을
졸업하며 최고의 영예 졸업상을 받고

성공적으로 의사면허를
받았어.

하지만 당시 홍콩에서는 근대교육을
받은 의사면허증으로는 한의학 의사를
할 수 없었어.

당시만 해도 돈 있는 사람은 전통한의학
의사에게 치료를 받았고,

가난해 치료비를 낼 수 없는 사람들만이 외국교육을 받은
서양 의사에게 갔다는 거야.

나이 서른이 다 될 때까지 쑨원은 의료계에서 큰 명성을 얻을 수 없었다.
앵~
앵~
의원

그때 쑨원은 중국의 근대화를 이끌기 위해서는
탈 탈 탈
근대화

제도적으로 서양의 선진 지식을 잘 받아들여야 한다고 생각했어.
선진
지식
수용

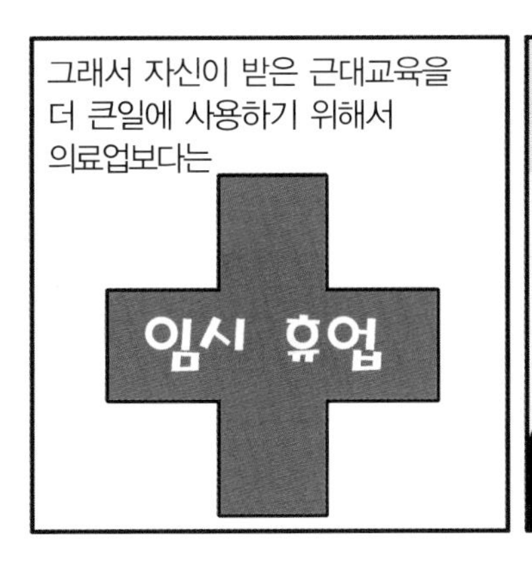
그래서 자신이 받은 근대교육을 더 큰일에 사용하기 위해서 의료업보다는
임시 휴업

정치집단인 '삼합회'를 만들어 강한 정치적 토론을 하는 것에 몰두했고,

실험실에서 만든 사제 폭발물로 실제 폭파 실험을 하는 등
쾅

혁명가로서의 정치적 인생을 시작하게 되지.
혁명

쑨원은 어떻게 하면 중국이 위기를 극복할 수 있을까만을 생각했어.
위태
위태

쑨원은 서양의 근대지식을 익히면서,
이념
철학
사상

중국에 가장 시급한 것은 경제 개발을 주도할 수 있는 인재 양성과
인재양성

자원의 합리적인 활용을 통한 농민의 복지라고 생각했어.
이익 분배

중국을 침범한 서양에 대해
러시아
CHINA
영국
프랑스

막연한 적대감이나 복수심에 사로잡혀
전쟁 준비만 할 게 아니라,
땅.
땅.
두고 보자!

외국의 선진 산업의 특징을 보고
배운 후

중국에 도움될 만한 것을
들여와야 한다고 주장하기
시작했어.
상공업 진흥

중국의 산업 기반이었던 농업과 축산업 등에

효율적인 정책을 질서 있게
수립하여 추진하자는
정책
추진

중국 혁명을 선전했던 거야.
혁명

쑨원은 고향의 젊은이들을 설득해 청나라 왕조에
반대하는 세력을 모아 '흥중회(興中會)' 라고 이름 지었어.
흥중회

흥중회는 중국의 번영과 재건을 도모하자는
이름 그대로 이민족이었던 만주족이 세운 청나라를
몰아내고
드르륵...
청
중국재건

한족의 정통 중국을 세워야 한다는 기치를
내세웠어.
정통
중국

외국의 압력을 막아 내기
위해서는
침략

중국 스스로 근대화를 통해 국력이
강해져야 한다고 생각한
민족
산업
농업
자주국방
선진기반

* **봉기** – 벌떼처럼 떼 지어 세차게 일어남.

선봉대*가 시멘트로 위장한 무기와 탄약을 가지고 광저우로 들어가서

관청과 군대 본부를 공격하기로 하였지.

여기에 필요한 자금과 인력을 모으는 데 앞장섰던 쑨원은 의료업으로 번 돈 전부를 기부했다고 해.

*선봉대 – 앞장서는 대열이나 부대, 또는 그런 사람.

하지만 정부 관청 습격작전은 총 한번 쏴 보지 못하고 지도부가 경찰에게 모두 붙잡히고 말았어.

간신히 포위망에서 벗어난 쑨원은 홍콩, 일본, 미국, 영국으로 도망다녀야 했고,

그 사건으로 경찰에 체포된 동지들은 결국 죽고 말았어.

청나라 정부는 도망친 쑨원을 체포하려고 그에게 최고의 현상금을 걸기도 했어.

쑨원은 망명 생활로 외국 등지를 다니며

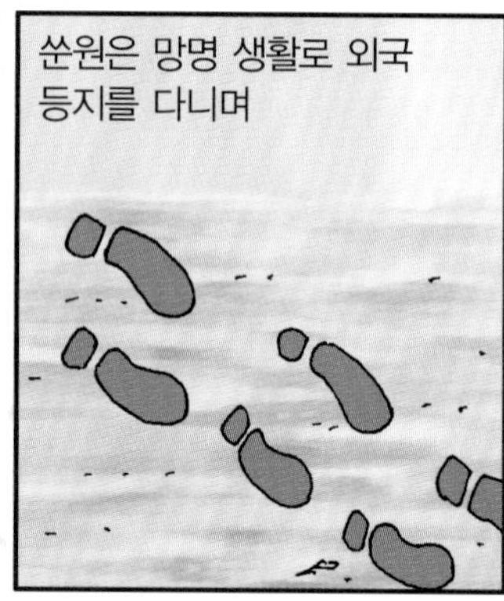

혁명에 대한 연구와 계획을 좀 더 치밀하게 준비할 수 있었어.

광저우에서의 실패는 그에게 많은 것을 깨우쳐 주었지.

중국 땅에서 지금 당장 혁명을 시도하려는 사회적 열정을

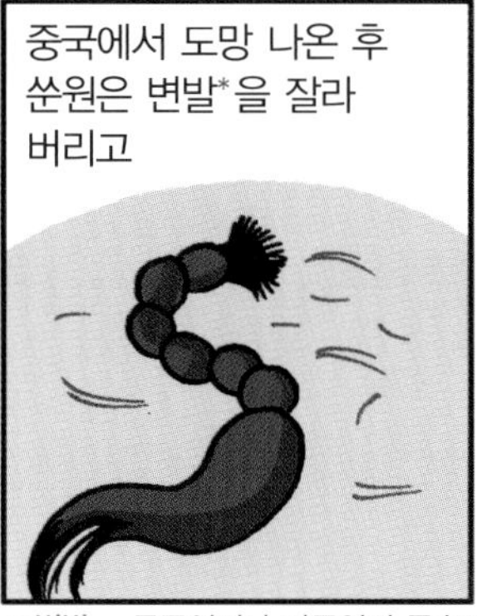

*변발 – 몽골인이나 만주인의 풍습으로, 남자의 머리를 뒷부분만 남기고
나머지 부분을 깎아 뒤로 길게 땋아 늘인 머리.

청나라 대사관에서 고용한 사설탐정에게
일거수 일투족을 감시받아야 했어.

영국 대영박물관에서 책을
보면서도

중국 사람, 특히 고향 출신
사람들을 찾아다니며

중국의 혁명과 변화의 필요성을
주장하며 동지들을 모으고 있었지.

그러다가 어떤 낯선 건물에
들어가게 되었는데,

쑨원을 알아본 직원 한 사람이
중국 공사관에 신고하여

쑨원은 꼼짝없이 붙잡혔어.

공사관 4층 방에 갇혀 바깥과의 연락이
완전히 끊어진 채 중국으로 호송될 일이
코앞에 벌어진 거야.

광저우에서의 봉기로 붙잡혔던
동료들의 죽음을 알고 있었기에
쑨원은 두려움에 떨었어.

정치범을 붙잡아 두는 것은
외교관의 특권으로도 허용할 수
없는 일이었으나

영국 정부가 쑨원의 납치를 알지
못하는 상황에서는 쑨원이 손 쓸 수
있는 바가 전혀 없었지.

다행히 쑨원은 대사관에서 일하는
영국 사람에게

자신의 처지를 알리는 편지를 영국에 살던 의사 친구에게 전달해 줄 것을 부탁했어.

편지에는 다음과 같은 절박한 심정이 담겨 있었지.

저는 중국 공사관에 구금되어 있습니다.
이제 영국에서 중국으로 건너가면 저는 죽습니다.
저를 중국으로 실어 갈 배가 벌써 계약되어 있고,
누구와도 연락이 닿지 않아 너무나 비참한 상황입니다.

풀려 나오는 날 쑨원은 구경꾼과 기자 들에게 둘러싸여 전 세계의 주목을 받았어.

펑 펑

이 사건 덕분에 세계 사람들은 쑨원을
중국의 혁명가로 인식하게 되었어.
혁명

앞으로 그가 중국 지도자의 길을
걸어갈 수 있었던 기반이 된
사건이기도 해.

이 사건을 계기로
중국 내부에서도 변화가
일어나고 있다는 것이
변
화

전 세계에 알려지기 시작했어.
훌륭하다...
개
혁

청 왕조가 서양 세력이라면 무조건
배척하며 보수적인 외교 정책을
펼치는 것에 실망하던 서양 사람들은
안 산다구!
개방

중국 내부에서 쑨원 같은
사람에 의해 싹트는 혁명의
조짐에 환영의 눈길을 보냈지.
진보

쑨원은 기자 회견에서 아주 매력적인
동양인이라는 인상을 남겼고,

그의 인간성에 감동받은
언론 기자들은 우호적인
기사를 발표했어.
TIMES
중국의 별
쑨원
데일리 신문
혁명가
쑨원

이 일은 쑨원에게 중국 혁명의
선구자가 되는 것이
공화정부
수립

자신의 운명임을 느끼게 해 준
중요한 사건이 되었어.
운
명

쑨원은 세계 열강들이 중국을 향해
우호적인 태도로 중립을 유지해
준다면
중 립

중국인들 스스로 지금 체제를
새로운 것으로 만들 수 있다고
말했어.
공화제
청 왕조

평범한 중국의 백성은 나쁘지
않으며, 외국을 배척하지 않고 있는데
신기하네.
찬미
예수

청 왕조의 지배층인 만주족과
관리 들이 부정하게 결합하여
서구의 문명을 차단하고
쓰레기!
서구문화

중국으로 하여금 낙후된 상태를
지속시킨다는 상황을 서구 세계에
알렸어.

당시 중국에서는 크리스트교를 학대하던 정책으로
서양 선교사들을 잔인하게 몰아 죽였기 때문에

중국인들은 야만적이라는 편견을 가지고
있었어.
미개인

쑨원은 전 세계적으로 유명해지기는 했지만
중국에 들어와서는 혁명을 이끄는
개혁 주체가 될 수 없었어.

그 때문에 유럽과 미국, 일본
등지를 돌아다니며

외국의 혁명 조직을 결성하는
일을 10년 넘게 해야만 했지.
10
혁명

쑨원은 이때 러시아, 유럽의 정치
망명자들과 혁명에 대해 토론하고,

도서관에서 서양의 정치와
역사를 읽고 공부하며,
정치
역사

후에 주창한 삼민주의의 기틀을
만들었어.
삼민주의

과학과 정치에 대한 폭넓고 집중적인 독서는 민족주의, 민주주의, 사회주의 등에 대한 역사적 안목을 길러 주었지.

특히 당시의 유럽은 공업이 급격히 발달하여 물자가 풍부해졌지만 여전히 굶어 죽거나 헐벗은 사람이 거리에 널려 있는 사회 병폐를 앓고 있었어.

그때 쑨원은 중국식 사회주의의 필요성을 절실히 느꼈다고 해.

백성이 주인이 되는 사회에서

모두가 잘 살 수 있는 방법이 필요하다고 생각한 거야.

그리고 우선 중국에서 가장 시급한 것은 청나라 왕조를 몰아 내는 일이라고 강조했어.

왕조 정치

그래야 왕을 대신해서 백성이 선출한 사람들이

백성을 위해 통치할 수 있는 공화제를 이끌 수 있다는 거지.

그러기 위해서는 중국 한족이 뭉쳐야 한다며 가장 먼저 민족주의를 이야기했어.

그 다음에 백성의 권리와 권한을 보장해야 한다는 민권주의를 이야기했지.

그리고 자본주의의 빈부 격차를
해소할 수 있도록
빈익빈
부익부

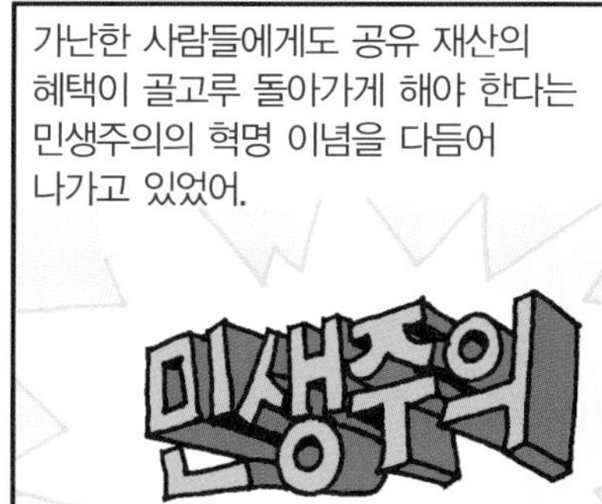
가난한 사람들에게도 공유 재산의
혜택이 골고루 돌아가게 해야 한다는
민생주의의 혁명 이념을 다듬어
나가고 있었어.
민생주의

이렇게 주창한 삼민주의는 쑨원이
죽을 때까지 연설의 주제가 되었고,

21세기 현재 중국 사람들에게까지 마음속에 새겨진
이념이기도 하지.

중국 내륙에서 삼민주의를 내세우던 쑨원은
1911년(신해년) 혁명이 발발하자,
신해 혁명
중국

수십 년 동안의 외국 생활을 접고
조국으로 들어올 수 있게 돼.
내 조국…

당시 중국은 여러 개혁 운동으로
정치적 혼란에 빠져 있었고,
개혁
운동
혁명

신식 교육을 받고 개혁을
추진하던 청년들과 해외
유학생들은
왕권
타도

청나라 타도와 공화정 수립을 주장하면서
공화정

쑨원의 삼민주의 이념으로
조직되었던 중국 혁명 '동맹회'를
지지했어.
동맹회

청 왕조가 무능하게

나라의 여러 시설물(특히 철도)들과 자본을 외국에 빼앗긴 것에

분노한 백성은 군사를 조직하여 봉기를 일으켰고,

이를 계기로 대부분의 성들이 청조로부터의 독립을 선언한

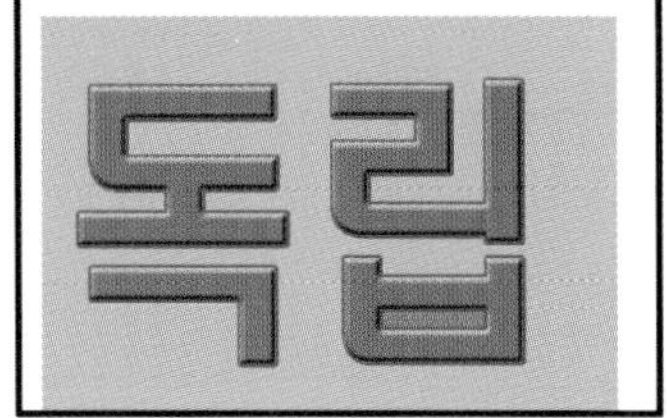


신해 혁명이 시작된 것이지.

혁명을 이끈 무리들은 쑨원을 임시 대총통으로 추대하였고, 1912년 중화민국의 성립을 선포했어.

중국 땅에서 2천 년 동안 유지되었던 왕조정치를 마감하는 역사적 순간이었던 거야. 아시아 최초로 국민의 정치 체제인 공화국을 건설하게 된 거지.

신해 혁명은 국민을 위한 혁명으로서 이민족인 만주족을 몰아내고

중화*를 회복하는 것 외에도 국가의 위상과 백성의 생활을 개선하기 위하여

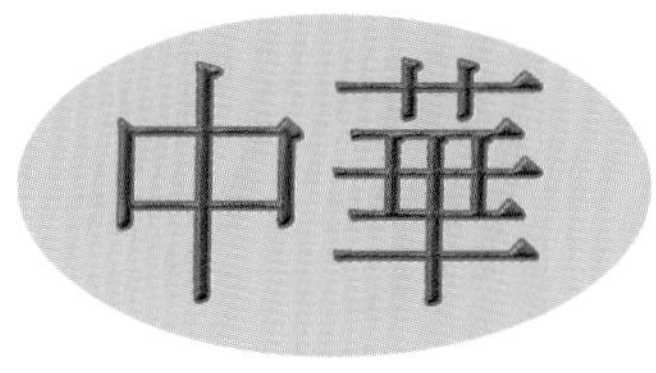


백성이 힘을 합쳐 변혁해야 한다는 것을 강조했어.

변혁

*중화(中華) – 한족이 자기 나라가 가장 문명한 나라라는 뜻으로 일컫는 말.

그러기 위해서는 자유와 평등, 박애의 정신이 반드시 깔려 있어야 한다는 것이었지.

자유 평등 박애

단순히 통치 권력자를 몰아내는 쿠데타*가 아니라,

*쿠데타 – 무력으로 정권을 빼앗는 일.

임시 대총통이었던 쑨원은, 당시 독립된 군사력을 갖고 있던 권력자 위안스카이(원세개)*에게 총통 자리를 양보하게 돼.

이 좋은걸...

총통

*위안스카이(1859~1916) – 중국의 정치가.

하지만 이것으로 쑨원은 더욱 유명해졌지.

그런데 정권을 잡은 위안스카이는 정국을 안정시키기는커녕 혁명파들을 탄압하고

스스로 황제가 되려고 독재 정치를 하여

정국을 더욱 혼란스럽게 했어.

위안스카이가 총통을 맡고 있는 동안, 쑨원은 혁명을 이끌었던 동맹회를 재조직하여 '중국 혁명당'이라는 정당을 조직하고 당의 총재가 되었어.

쑨원은 혁명을 대중화해야 한다는 생각에 작은 정당들을 통합하여 '국민당'을 창립했어.

국민당 이사장으로 선출된 쑨원은 중국 혁명의 이념이었던 공화정을 백성에게 널리 알리려고 애썼어.

애국, 교육, 지방자치, 평등권 등 서구의 선진 정치 개념은

당시 백성이 이해하기 힘들었으니까. 그는 전국적으로 일반 대중에게 연설을 했어.

외국에서 갈고닦은 토론과 연설 솜씨는 그를 싫어하던 사람들조차 인정하게 하는 개인적 매력을 발산시켰어.

사람들은 그의 연설을 듣기 위해 모여들었고,

그와 근대이념에 대해 더 잘 알게 되었으며, 깊은 감명을 받았다고 해.

쑨원은 감정적 달변가로서가 아니라, 성실함과 중국 미래에 대한 믿음을 조용하고 세련된 화술로 말해 청중들을 몇 시간씩 붙잡아 두었던 거야.

대중에게 개인적인 욕심이 없는 애국자라는 인상을 심어 줌으로써

'중국 혁명의 아버지' 라는 칭송은 더욱 높아만 갔어.

위안스카이의 폭정으로 민심은 악화되었고,

당시 국민당 총재 쑹자오런(송교인)* 이 살해된 배후에 그가 있다는 것이 밝혀진 후,

다시 위안스카이를 몰아내기 위한 혁명을 계획하게 되었어.

혁명

그것이 실패하자 쑨원은 중국을 떠나 일본에 피신해야 했지만,

*쑹자오런(1882~1913) - 중국의 정치가. 중국 혁명 동맹회의 회원이며, 신해 혁명 때 공훈을 세웠다.

일본과 상하이를 오가며 지속적인 투쟁을 전개했어.

하지만 중국은 그 후 대혼란을 겪어야 했어.

늘어난 세금과 제국 열강들에게 민족 자산을 빼앗기자,

참을 대로 참아 왔던 백성은 더 이상 견딜 수 없을 지경이 되었지.

갑작스레 사망한 위안스카이 이후

중국에는 합법적인 통치자가 없었고,

독립된 군사를 가지고 있던 지방의 군벌들이 일어나 전쟁과 약탈을 거듭했어.

위안스카이가 죽은 뒤 약 10년 동안 군벌 세력이 중국을 지배한 거야.

군벌들은 자기들이 장악한 지역의 백성에게서 각종 세금을 거두고 심지어 아편을 재배하고 판매해 돈을 벌어들였으며, 외국의 차관을 도입해 쓰기도 했지. 한마디로 그들은 개인 권력을 위해 국민을 수탈하거나 외국과 손잡고 중국 각 지역의 이권을 외국에 넘기는 일을 서슴지 않고 행했어.

그들은 중국이 근대국가를 세우는 데 있어 암적인 존재였지.

그러다 세계는 제1차 세계 대전으로 시끄러웠고

일본은 제국주의 세력을 넓혀 중국에까지 침략을 가속화했어.

그러나 각지의 군벌 세력들은 국가 위기에 아랑곳없이 계속 이권 다툼을 하면서

중국을 더욱 불안하게 했어.

이때 지식인들이 앞장서 신문화 운동을 했지.

신문화 운동*은 전통적인 유교 사상을 버리고

서양의 민주주의와 과학 정신을 받아들여

*신문화 운동 – 1917~1921년에 걸쳐 중국에서 유교적이고 봉건적인 제도와 문화에 반대하여 일어난 계몽 운동.

근대국가로 나가야 한다는 의식 개혁이었던 거야.

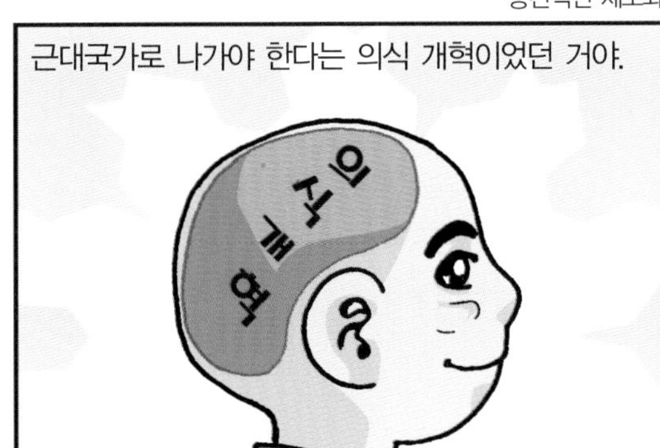


이러한 의식 변화가 확산되어가다가 일본의 침략이 노골화되자, 1919년 5월 4일 중국 베이징에서 5천 명의 대학생들이 격렬한 시위를 벌이게 돼.

이 운동은 점차 확산되어 반봉건, 반군벌, 반제국주의 운동으로 전국을 강타하지.

우리나라의 3·1운동과 같은 성격이었다고 생각하면 돼.

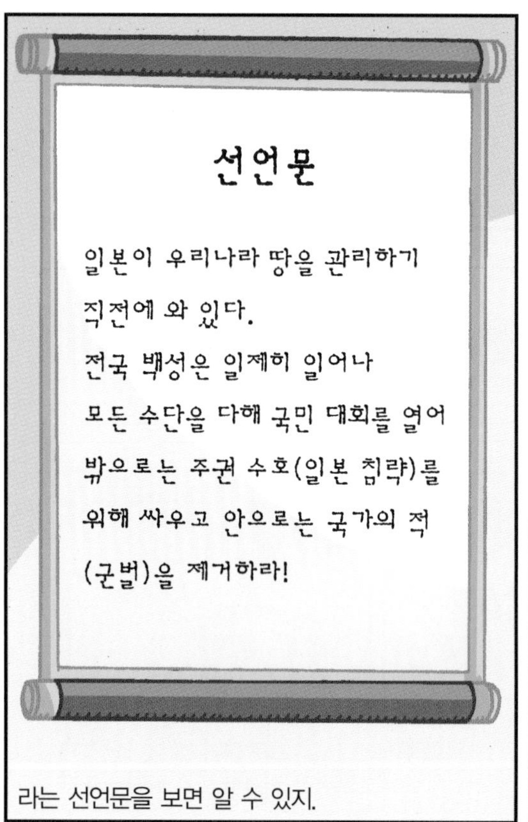


라는 선언문을 보면 알 수 있지.

5 · 4운동은 중국 사회에 커다란 변화를 주게 돼.
이때 쑨원은 대중의 힘을 느끼고 크게 감동을 받았어.

쑨원은 군사 정부를 광저우에 세우고 세력을 강화한 후,

지역 군벌 정부를 몰아내기 위한 전쟁을 치르게 돼.

하지만 지방에서 오래 세력을 모았던 군벌은 쉽게 꺾이지 않았어.

그래서 당시 러시아와 연합하고 중국 공산당과 힘을 합쳐 군벌 세력과 제국주의에 대항했지.

그것을 제1차 국공합작이라고 해.
국민당과 공산당의 합동 작전이었던 거야.

쑨원은 국민당의 젊은 장제스를
후계자로 키워 나갔어.

쑨원이 죽은 뒤,

장제스는 군벌 세력을 몰아내고 중국 통일을 완성하는 한편, 공산당을 추방하려고 애쓰게 돼.

1925년 간암으로 사망하기 직전까지 쑨원은 군벌 세력을 몰아내기 위해 많은 투쟁을 계속했어.

그래서 쑨원은 죽는 순간에도 자신이 못다 이룬 미완의 혁명을

매우 안타까워했단다.

유언에는

반드시 민중들을 일깨워 함께 싸웁시다. 혁명은 아직도 성공을 거두지 못했으니 동지들은 계속 노력해 주기 바라오.

라는 말로 그의 혁명 정신을 남겼다고 해.

태어나서 죽을 때까지 오로지 혁명을 위해 살다가 '중국의 아버지'로 추앙받았던 그의 생애는 죽고 나서 더욱 관심을 받았어.

그가 죽은 뒤 그를 추모하는 행렬은 전국적으로 일어났고, 자발적인 애도의 물결은 해일처럼 일어났다고 하니,

애도의 물결

한 정당의 지도자라기보다는 한 나라의 통치자의 장례식이었다고 볼 수 있었지.

제3장
민족주의란 무엇인가?

중국인들이 가장 소중하게 생각하는 것은 가족이야.

그래서 중국에는 가족주의나 종족주의는 있어도 민족주의는 없다고 생각해.
민족주의

지나가는 외국인들도 중국인들을 가리켜 한 줌의 모래처럼 흩어진 민족이라고 말하고.
단합이 안 되는 민족.

그 원인이 어디에 있는 걸까?

중국인은 가족과 씨족의 단결력이 매우 강하여 종족을 지키기 위해서는 자신의 희생뿐 아니라 가족의 희생까지도 마다하지 않지.
내 한 몸 희생해서

아주 오랜 옛날부터 가문 간의 다툼으로 많은 사람들이 생명과 재산을 희생하면서도 끝끝내 화해하지 않는 일은 모두 이 때문이지.

즉 가문이나 가족을 위해서는 기꺼이 희생하는 일이 많으면서도,

국가를 위해서 절대적인 희생을 했다는 말은 들어 보지 못했어.

이렇게 중국인의 단결력은 가족이나 씨족까지만 머무르고 있을 뿐, 나라까지는 확대되지 못한 거야.

물론 나라와 민족은 차이점이 있어.

중국은 진, 한나라 때부터 항상 하나의 민족이 하나의 국가를 만들어 왔기 때문에

중국의 민족주의는 국족*주의(國族主義)와 같은 성격이라고 볼 수 있어.

*국족 – 임금의 혈족.

하지만 외국의 경우는 한 국가 안에 몇 개의 민족이 있기도 하니, 외국에서는 안 통하는 이야기겠지?

예를 들어 영국은 지금 세계에서 가장 강한 국가이지만, 민족 구성을 보면 백인을 중심으로 황인, 흑인 등의 민족이 합쳐져 '대영제국'을 형성하고 있어.

그러니 민족(民族)과 국족(國族)이 같은 개념이 될 수 없지.

그렇다면 민족과 국가의 경계는 어디에 있는 걸까? 확실히 구별하는 방법이 있을까?

가장 좋은 방법은 그것들을 만든 힘이 어디에서 나왔느냐에 따라 구분하는 거야.

민족은 자연력(自然力)으로 만들어진 것이고,

나라는 무력(武力)으로 만들어진 것이지.
국가

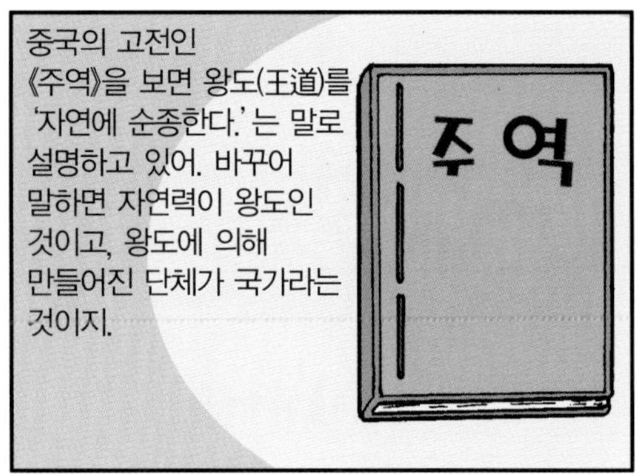
중국의 고전인 《주역》을 보면 왕도(王道)를 '자연에 순종한다.'는 말로 설명하고 있어. 바꾸어 말하면 자연력이 왕도인 것이고, 왕도에 의해 만들어진 단체가 국가라는 것이지.
주역

예컨대 홍콩이 생긴 원인은
홍 콩

몇십만 명의 홍콩인이 특별히 영국인을 환영해서 만들어진 것이 아니라 영국인이 무력으로 빼앗은 거야.
내놔!

1842년에 있었던 아편 전쟁에서 중국이 영국에게 패한 다음 홍콩의 인민들과 땅을 영국에게 빼앗긴 거지.

또한 영국이 오늘날의 인도를 만들어 낸 과정도 홍콩과 마찬가지야.
간디
영국이 파는 물건이 소금일지라도 나는 그것을 사 먹지 않을 것이다.

지금 영국의 영토는 전 세계에 퍼져 있어. 그래서 '영국은 해가 지지 않는다.'라는 속담까지 있는 거야.
우아!

이렇게 큰 영국 영토는 모두 무력에 의해 이루어진 것이지.
무력
쾅

사실 국가는 예부터 무력에 의해 이루어지지 않은 곳이 없어.

하지만 민족은 이와는 달리 자연스럽게 형성되는 것으로,
나는 태어나면서부터 유대인이지.

어떠한 강제적인 것으로 좌지우지할 수 없는 거야.
우리 게르만족이 더 위대하다.

그러므로 어떤 단체가 있을 때 왕도라는 자연력으로 결합되어 생긴 것이라면 민족이라고 말할 수 있고,
민족

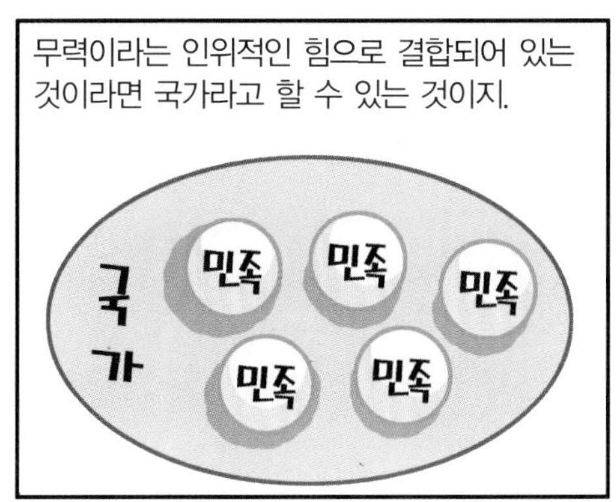
무력이라는 인위적인 힘으로 결합되어 있는 것이라면 국가라고 할 수 있는 것이지.
국가
민족
민족
민족
민족
민족

이것이 민족과 국가의 차이점이야.

이제 민족에 대해 더 자세히 알아볼까?
민족

인류를 구별하는 첫 단계는 인종인데, 백색, 흑색, 적색, 황색, 갈색의 다섯 인종이 있지. 그것을 더욱 자세히 나누면 많은 민족으로 구별되지.

예를 들어 아시아 민족에는 몽골족, 말레이족, 일본족, 만주족, 한족 등이 있어.

이렇듯 여러 민족이 생겨나게 된 원인은 개개 자연력에 의한 것이지만 자세히 분석해 보면 상당히 복잡해.

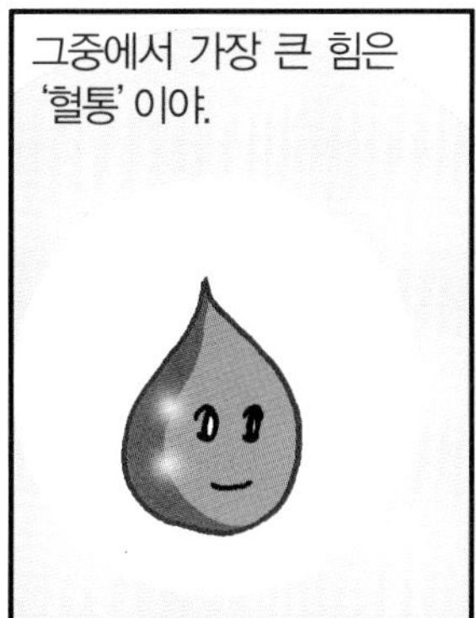
그중에서 가장 큰 힘은 '혈통'이야.

중국인이 황색인 것은 근원이 황색 혈통이기 때문이지.
유전

사실 몽골이 갑자기 강대해진 것도 바로 유목 습관 때문이지.

중국을 통일하고 일본까지 정복하며 강력한 힘으로 전 세계에서 유례 없는 영토로 확장시킬 수 있었던 것은 그 민족이 유목 생활을 해서 먼 길을 두려워하지 않았기 때문이지.

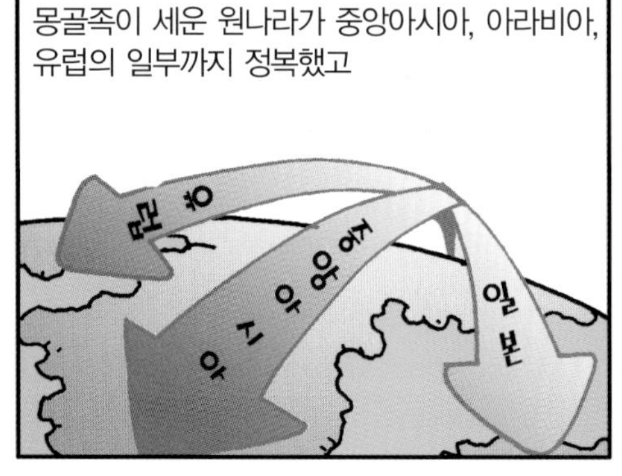

세 번째로 민족의 힘은 '언어'야.

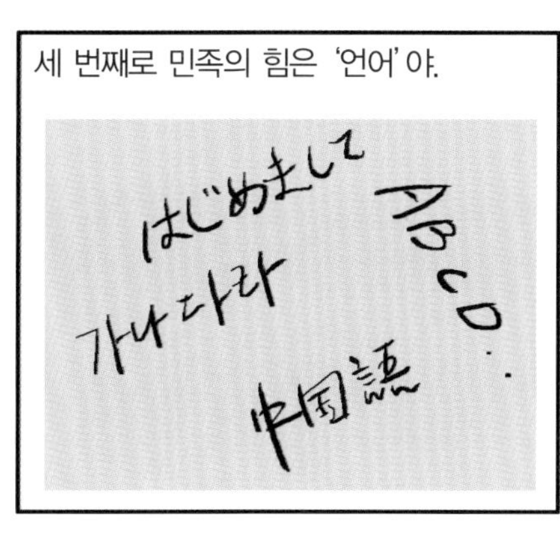


만일 외래 민족이 우리의
언어를 익히면 우리에게 쉽게
감화되어

결국에는 우리에게 동화되고
말지.

반대로 우리가 외국의 언어를 쓴다면 역시 외국인에게
동화되어 버리고.

만약 혈통이 같고 언어가 같다면 동화의 효력은
훨씬 빨라.

네 번째로 민족을 구별하는
큰 힘은 '종교'야.

만약 인류가 같은 신을 숭배하고
같은 조상을 신앙한다면 역시 하나의
민족으로 맺어질 수 있어.

아라비아와 유대, 두 나라는
멸망한 지 오래지만,

아라비아인과 유대인은 지금도 존재하고 있어.

국가는 멸망했지만 민족이 존재할 수 있는 까닭은 각각
종교를 갖고 있기 때문이야.

마르크스니 아인슈타인이니 하는 세계적으로 유명한 학자가 모두 유대인이라는 것을 알지?

지금의 영국이나 미국은 유대인 손에 의해 움직이고 있어.
흔들흔들.
흔들흔들

유대인은 천성이 총명한 데다가 신앙이 있으므로 유랑하고 있는 지금도 여전히 민족을 유지할 수 있는 거야.
하나님 하나님.
신앙
지독히 질긴 민족이다.

아라비아인이 존재하는 까닭도 그들에게 마호메트의 종교가 있기 때문이야.
코란

그 밖에 불교를 믿는 인도 민족도 한때 국가는 영국에 빼앗겼지만, 종족은 영원히 소멸되지 않는 거야.
육체는 지배할 수 있으나 우리 민족의 정신까지는 지배할 수 없다.

다섯째로 민족에게는 '풍속과 습관'이 중요한 힘을 갖지.

만일 인류가 서로 똑같은 풍속과 습관을 가지고 오랜 세월 함께 생활하면
목욕하는 풍습이 좋아!

역시 하나의 민족이 자연스럽게 형성되지.

외래인 총수는 1천만 명도 되지 않고 4억 중국인 대부분이 한인(漢人)이라고 해도 무방하지.

외래인 한인

* **열강** – 여러 강한 나라. 이들은 국제 문제에서 큰 역할을 담당하고 있다.

이들의 인구는 고작 3천8백만 명에 불과하지만 순수 영국 민족이야. 지금 세계에서 가장 강대한 민족이 되었고,

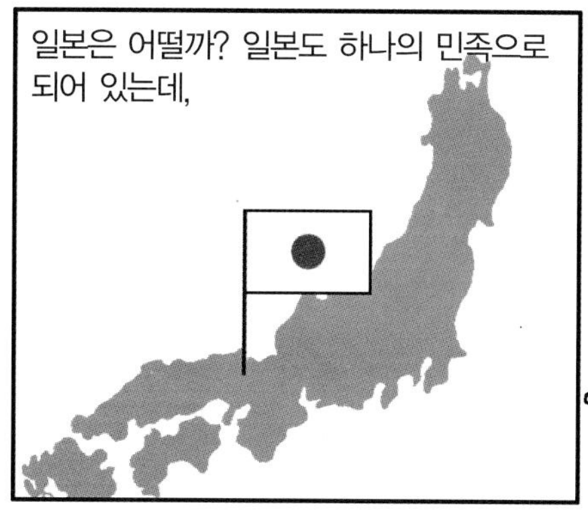

러시아는 제1차 세계 대전 때 혁명을 일으키고,
왕의 통치를 쓰러뜨려 새로운 사회주의 국가가 되어
크게 달라졌어.

그들 민족을 '슬라브' 족이라고 해. 100년 전의 인구는
4천만 명이었는데
인구
4,000만 명
100년 전

지금은 네 배로 늘어나 1억6천만 명이 되었어.
국력도 이전보다 네 배나 커졌지.
1억6천만

최근 100년 사이에 러시아는 세계에서 가장 강한 국가가 되어
아시아에서는 중국과 일본이 두려워하고, 유럽에서는 영국, 독일도
두려워하고 있지.
얌전히들
있어!

이렇게 보면 세계의 인구 증가율은 지난
100년 사이에 미국은 열 배, 영국과 일본은
세 배, 러시아는 네 배 증가한 것을
알 수 있어.
미국
일본
러시아

이 100년 동안에 인구
증가율이 높았던 까닭은

과학의 진보, 의학의 발달, 위생
설비가 날마다 좋아져 사망은 줄고,
출생은 늘어났기 때문이지.
병이
나았습니다

그러면 이들의 인구 증가와 중국은 무슨
관계가 있을까, 궁금하지?
앙!

나는 중국과 각국의 인구 증가를
비교해 보면서 소름이 끼쳤어.
슈웅

미국을 봐. 100년 전에는
900만이었는데 지금은
1억이 넘어.
900만
1억

100년이 더 지나면 10억 이상이
되는 거야.
우글..
우글..

중국인은 많으니까 무슨 일이 있어도
쉽게 소멸되지 않을 거라는 자만심을
가지고 있어.
바글. 바글...
안심이다.

원나라 몽골족이 중국을 지배한
뒤에도 몽골족은
찌랏!

중국인을 소멸시키기는커녕
거꾸로 중국인에 동화되고
말았잖아.
달려랏!

중국은 멸망하지 않고 다른 이민족을
전부 흡수하는 힘이 있었던 거야.
스펀지
왠지
끌리네.

또 만주족은 어떠했지?
만주족은 중국을
정복하여

청나라를 세운 뒤 260여 년
동안 다스렸지만
80
150
청
260

중국인을 소멸시키지는 못하고
놀아 줘!
놀아 줘!

오히려 한족에 동화되어 한인으로
변하고 말았어.
다같이 놀자!

그래서 많은 중국 학자들은

비록 중국이 일본인이나 백인들에게 정복당할지라도

중국인은 언젠가 그들을 흡수할 수 있으므로
안심해도 좋다고 생각하지.
잘 어울린다

그러나 옛날 만주인이 중국 민족을
정복하지 못했던 것은
만주족

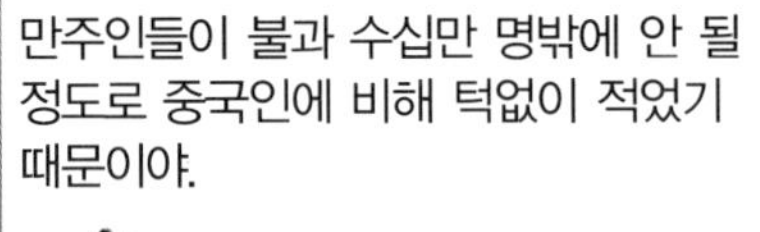
만주인들이 불과 수십만 명밖에 안 될
정도로 중국인에 비해 턱없이 적었기
때문이야.

헉!
바글.
바글..

만약 100년 뒤에 미국인이
10억까지 증가하여
10억

미국이 중국을 정복한다면,

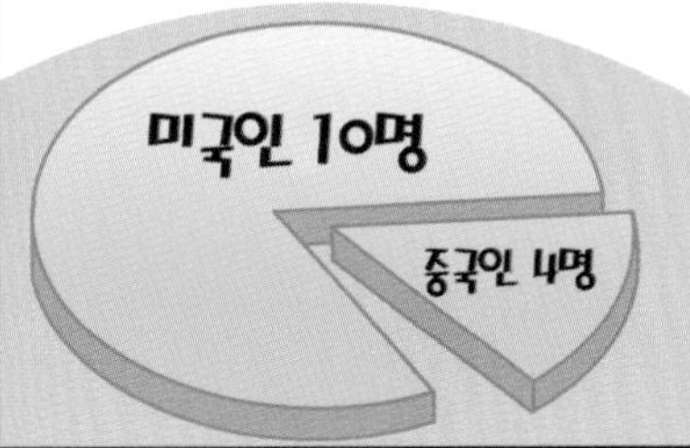
100년 뒤에는 10명의 미국인 중에
4명의 중국인이 섞여 있는 셈이 되는
거라고.
미국인 10명
중국인 4명

그러면 중국인이 미국인에게 동화될
것이 분명해.
미국인
100%

옛날부터 민족이 흥하고 망하는 원인은 인구의 증감에
의한 게 많아. 바로 자연 도태에 의한 것이지.
항복

인류는 이 자연 도태의 힘에 부딪히면 저항할 수 없어.
옛날의 숱한 민족이나 유명한 민족이 오늘날 자취를
감춘 것을 보면 알 수 있지.
잉카 제국

*반고(32~92) – 중국 후한 초기의 역사가, 문학가.

*사기 – 중국 한나라의 사마천이 상고의 황제로부터 전한 무제까지 역대 왕조의 사적을 엮은 책.

*삼황오제 – 중국 고대 전설에 나오는 삼황과 오제를 아울러 이르는 말.

# 영국과 홍콩 그리고 중국

1997년 7월 1일, 홍콩. 이날은 영국이 중국에 홍콩을 반환하는 역사적인 행사가 열린 날입니다. 홍콩의 많은 사람들은 영국의 국기가 하강되는 순간 중국으로 귀환된다는 걱정과 두려움에 눈시울을 붉혔다고 합니다. 하지만 홍콩이 어떻게 중국을 떠나 영국의 통치권 안에 들어가게 되었는지 그 역사적 아픔을 생각한다면 홍콩은 너무 늦게 중국의 품으로 돌아온 것입니다.

홍콩이 영국의 지배를 받은 기간은 약 160년 정도였습니다. 이렇게 긴 세월 동안 영국의 지배가 있었기 때문에 홍콩 인구 중 95퍼센트가 중국인임에도 불구하고 홍콩이 중국으로 반환되는 것에 대해 두려움을 가진 사람들이 많았다고 합니다. 하지만 홍콩이 영국에 할양(割讓, 국가 간의 합의에 의하여 자기 나라 영토의 일부를 다른 나라에 넘겨주는 일)된 것은 평화적인 것이 아니라 전쟁의 패배를 통한 강탈이었습니다. 국제 조약에 따르면 전쟁 중 빼앗은 지역은 되돌려 주기로 되어 있었기 때문이죠. 더욱이 홍콩은 아편이라는 부도덕한 요구를 걸고 벌인 비도덕적인 전쟁으로 빼앗긴 것입니다. 그러나 그렇다 해도 영국의 전통적이고 문화적인 자본주의 통치에 익숙해진 홍콩시민들로서는 중국의 사회주의 체제에 대한 불안감이 너무나도 컸습니다.

아편전쟁(제1차 중영전쟁, 1840~1842)은 영국과 중국의 무역 사이에서 중국산 차茶 때문에 발생했습니다. 홍차나 녹차를 주종으로 하는 차는 원래 중국 전통 기호식품인데, 17세기에 유럽인들이 동양과 무역을 하면서 유럽에 전파되었죠. 처음에는 일부 상류층만 애용했지만 일반적인 기호식품으로 자리를 잡자 차에 대한 수요가 엄청나게 증가했습니다. 오늘날까지도 홍차 제일의 소비국은 영국입니다. 이렇게 영국은 중국과의 무역에서 차 때문에 무역 적자를 면치 못했습니다. 1825년의 기록을 보면 영국은 중국에서 300만 파운드의 차를 수입했는데, 중국은 영국 물건을 100만 파운드밖에 수입하지 않았습니다. 이에 다급해진 영국 상인들이 생각한 것이 바로 아편 수출이었습니다.

▲ 아편 전쟁

아편의 마약 성분 때문에 영국의 아편은 중국에 빠른 속도로 확산되었습니다. 1850년, 마침내 무역수지의 역전극이 펼쳐져 중국 정부는 이대로 둘 수 없었습니다. 무역수지의 악화보다도 무서운 건 농민과 하층민 들의 아편 중독이었는데, 폐인이 되어 일상생활을 정상적으로 유지할 수 없었고, 심지어는 병사와 관료 들마저도 아편의 유혹에 빠져 국방과 국가 행정이 마비될 정도였거든요.

그래서 벌어진 게 아편 전쟁입니다. 결과는 당시 '종이호랑이' 에 불과했던 중국의 참패였습니다. 영국은 청나라를 굴복시키고 난징 조약(1842년)을 통해 원래 자

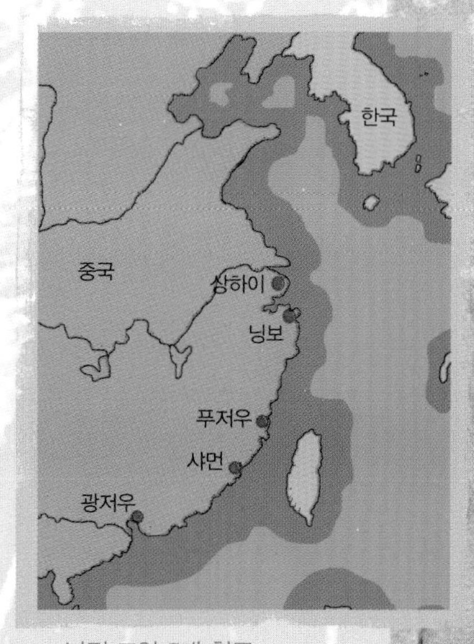

▲ 난징 조약 5개 항구

▲ 임칙서 (영국에 의한 아편 밀수를 강경하게 단속하여 영국과의 아편전쟁이 일어난 계기를 만들었다.)

유무역이 가능했던 광저우 지역 말고, 추가로 5개 항구를 더 개항하도록 요구했습니다. 그리고 바로 이때 중국 진출을 위한 중요한 거점 지역으로서 홍콩을 할양받았습니다. 청나라 정부는 영국군이 수도 베이징에 진격해 들어오는 바람에 이 모든 굴욕적인 조건에 서명할 수밖에 없었습니다. 그러니 이 난징 조약은 패전에 의한 불평등조약인 셈입니다.

영국의 욕심은 여기서 그치지 않아, 1860년 또다시 전쟁을 일으켜 개항장을 16곳으로 늘렸고, 영국 상인들이 중국 내륙 어디서나 왕래할 수 있도록 했습니다. 그러면서 중국으로부터 건네받은 땅도 주룽반도 일대와 235개 섬들로 확대되었습니다. 그 대신 할양 기간을 정해 두었죠. 당시로는 까마득하게 먼 날로 느껴졌던 99년 후로 말입니다. 아마 영국인들 생각으로는 99년 후에도 다시 기한을 연장할 수 있을 거라고 기대했을지 모릅니다. 그러나 그동안 중국에서는 마오쩌둥(1893~1976)이 이끄는 중

▲ 아편을 처분하는 임칙서

국 공산당이 혁명에 성공하고 강력한 통일 국가를 재건했습니다. 기한 연장 같은 얘기는 꺼내지도 못할 상황에서 1980년대에 영국과 중국은 홍콩 반환을 놓고 일대 협상을 했습니다. 영국은 돌려주지 않을 수 없었지만, 그 대신 조건을 내걸었죠. 홍콩이 자본주의 경제 체제를 유지해야만 돌려주겠다고 한 것입니다. 중국으로서는 자신의 마땅한 권리를 회복하는 마당에, 타국이 조건을 붙이는 것에 코웃음 치며 무시할 수도 있었지만, 중국의 영향력 확대를 우려하는 강대국들의 눈치를 살피지 않을 수 없는 일이라 일단 받아들였습니다. 이렇게 해서 1997년, 홍콩은 중국의 특별행정지구로 유지된다는 조건 하에 중국으로 반환되었습니다. 그래서 지금은 중국 안에서 민주주의와 사회주의 1국가 2체제가 공인되고 있습니다.

▲ 마오쩌둥

시대는 너무나도 변해
전 세계가 정치력과 경제력을 가지고
서로 경쟁하는 시대가 되었어.

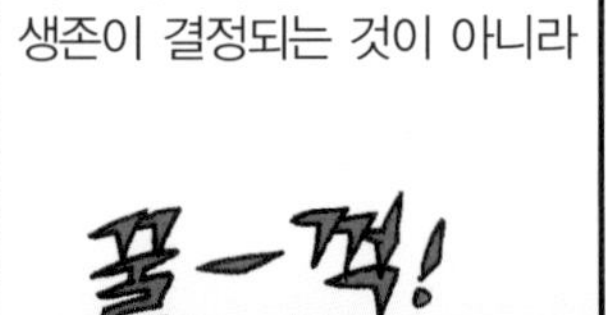

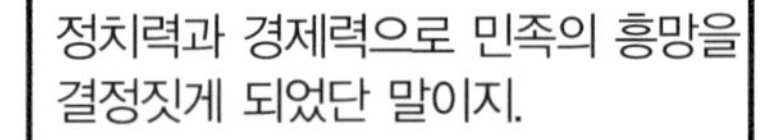

한 번은 몽골족의 원나라 때,
앙!

또 한 번은 만주족의 청나라 때지.

그러나 이 두 번 모두 소수 민족에 의해 멸망된 것이지, 다수 민족에 의해 멸망된 것이 아니기 때문에

소수 민족은 우리 다수 민족이었던 중국인들에게 동화되었어.
칙칙..
푹푹..

그러므로 중국은 정권으로는 두 번 망했지만, 민족으로 보면 큰 손실이 없었다고 봐야 해.
뚝!
중국

하지만 요즘은 너무나 달라졌어.
현실

최근 100년 동안 세계 열강들의 인구 증가는 눈에 띌 정도로 극히 높아졌어.

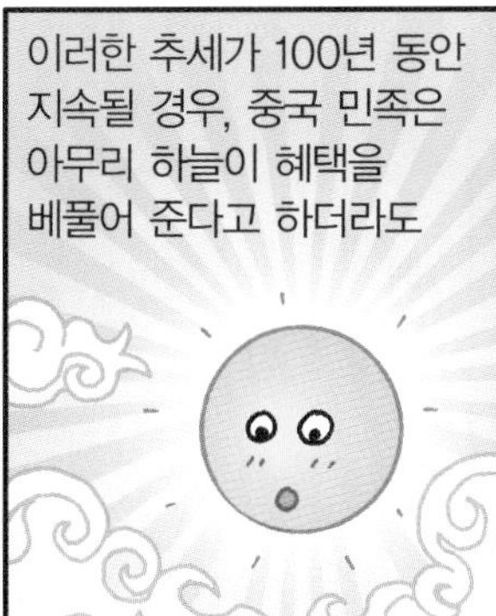
이러한 추세가 100년 동안 지속될 경우, 중국 민족은 아무리 하늘이 혜택을 베풀어 준다고 하더라도

세계에서 열강들과 공존하기란 쉽지 않단 말이지.
어디 가니?

100년 뒤 소수 민족이 될지도 모르는 중국 민족에게는

정치력과 경제력의 압박을 견디어 낼 힘이 없을지 모른다고.
개방해!
$

인구 감소에 의해 자연적으로 도태되는 일은 더디기는 하지만

상당히 큰 규모의 민족까지도 멸망시킬 수 있는 힘이 있어.

100년 전 아메리카에 살았던 '레드인디언'이 좋은 예가 될 것 같은데,

아메리카는 2~3백 년 전에는 전적으로 레드인디언의 땅이었어.

인구는 많았고 아메리카 곳곳에 거주하고 있었지.

그러다가 백인들이 아메리카로 이주해 온 뒤 인구가 차츰 줄어,

지금 남아 있는 소수도 거의 멸종에 가까운 상태야.

이렇게 인구 감소에 의한 자연 도태가 큰 민족을 멸망시킬 수 있다는 것을 알아야 해.

지금 중국 민족은 인구 감소의 압박과 동시에 너무나도 거세게 밀어닥치는 정치적 · 경제적인 압박을 동시에 견디어 내야 해.

인구 감소가 있더라도 약 100년은 버틸 수 있겠지만,

정치적 · 경제적인 압박을 동시에 받는다면 10년도 견디기 어려울 거야.

그러므로 이 10년 동안이 중국 민족 생사의 갈림길이라고 생각해.

***청프 전쟁** – 1884년에 프랑스가 베트남에 대한 종주권을 얻으려고 청나라에 대하여 일으킨 전쟁.

이제 중국 땅은 세계 열강들이 나눠먹는 '땅따먹기' 놀이의 대상이 되어 놀림거리가 되고 있지.
많이 먹어야지
여긴 내 땅
얌
중
국

세계 각국은 중국이 영원히 일어나지 못할 것이며,

스스로 자기 문제를 해결할 수 없는 나라라고 생각했어.
으앙~!

그래서 중국을 분할해서 나눠 가지려고 했던 것이야.
중
국

하지만 중국에서 국민에 의해 신해 혁명이 일어나고,
드드드..

그것을 지켜본 세계는 중국의 힘이 아직 남아 있다는 것을 알고 중국 분할을 포기했어.
정치적인 압박으로 중국을 나누어 갖는 것을 포기했다는 것이지.

그렇다고 중국을 완전히 포기한 것은 아니야.
정치적으로 정복하면 가까운 미래에 중국인이 거세게 저항하여 불리해질 것이라는 판단이 들었기 때문에
크릉
정치

세계 열강들은 경제력으로 압박하기 시작했어.
$

경제력의 압박은 제국주의 압박,
제국주의

정치적인 압박보다 훨씬 강력한 것이었어.
중국
경제

정치적인 압박은 즉시 분노를 느껴 저항할 수 있지만,
해보자는 거냐!

경제적인 압박은 좀처럼 느끼기 힘들다는 것이야.
내 재산인가?
경제 이익

중국은 남의 식민지가 된 조선이나, 베트남을 비웃고 있지만
바보래요
식민지국가

자신들의 처지가 그보다 못하다는 사실을 모르고 있단 말이야.
?

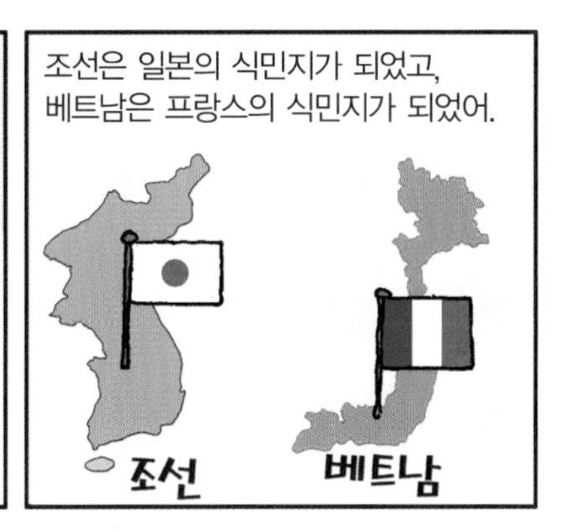
조선은 일본의 식민지가 되었고, 베트남은 프랑스의 식민지가 되었어.
조선
베트남

그러면 중국은 어느 나라의 식민지일까?
?

그건 바로, 불평등한 조약을 맺은 세계 여러 나라들의 식민지라는 것이야.
조약
조약
톈진 조약
조약
조약
조약

중국과 조약을 맺은 나라가 다 중국의 주인이야. 즉 한 나라의 노예가 아니라 세계 각국의 노예가 되었으니,
우리가 너희 주인이다.

중국에 어려운 일이 생기면 누가 도와 주겠니?
다국 식민지

이제 경제적인 압박이 무엇인지 자세히 설명해 줄게.
우선 관세가 문제야.

관세라고 하는 것은 외국 물건을 수입해 올 때 부과되는 세금을 가리키는 말로
관세

영국인에 의해서 운영되던 세관은 몇 년이
지나자 모든 전쟁 배상금을 갚을 돈이 모였어.

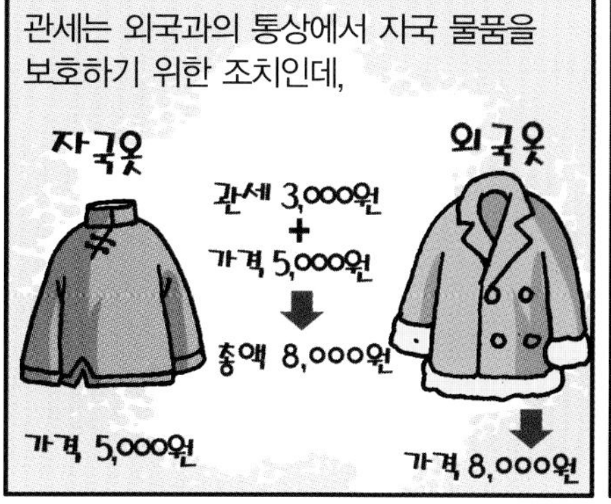

중국의 수공업은 갈 곳을 잃고
쇠퇴하고 있어.

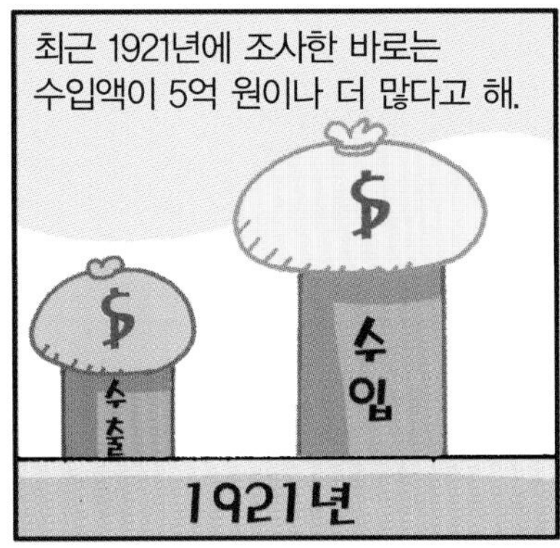

그나마도 이제는 은도 모으려 하지 않고,
외국 은행에서 만든 외국 지폐를 모으고
싶어하지.

외국 은행이라면 이자가 아무리 적어도 무조건 안심하는 거지.

*고리 - 법정 이자나 보통의 이자를 초과하는 비싼 이자.

결국 중국인의 자본을 이용하여, 중국인의 이자를 외국인이 가져가는 것이니 얼마나 큰 손실이니.
중국 은행이 뻔히 망해 가고 있는데도 아랑곳하지 않고, 우리 중국인들이 자청하여
외국 은행에만 돈을 맡기고 싶어하며,

각종 전쟁에 패한 뒤 외국인에게 내준 지역의 땅값과 그 지역의 세금이 있어.
빽!

불평등 조약을 맺은 뒤
중국
불평등 조약

중국 내에 있는 외국인 거주 지역은 중국의 행정권과 경찰권이 미치지 못하는 치외 법권(治外法權) 지역이라 세금을 걷지 못하고 있어.

치외 법권

뿐만 아니라 홍콩, 마카오, 베트남처럼 외국에게 떼 준 경우는 그곳의 땅값과 세금을 모두
홍콩

잃어버리는 건데, 그 액수가 만만치 않아.
내놔!
세금

외국인에게 떼 준 지역에서 중국인이 내는 세금이 고스란히 외국으로 들어가는데,
중국 세금

규모가 1년에 2억 원 이상 된다고 하고, 그 액수는 점점 늘어나고 있어. 예를 들면, 대만이 일본에 바치는 세금이
1년
2억

처음에는 2천만 원이었던 것이 이제는 1억 원으로 늘어났고,
1억

홍콩이 영국에 바치는 세금도 수백 만 원에서 3천만 원으로 늘어났다고 해.
수백만 원
3천만 원
홍콩

이 비율로 꾸준히 늘어난다면 얼마나 큰돈이 외국으로 빠져 나가는 것일까?
와르르..
중국 자금

중국이 받고 있는 외국의 경제적 압박은 이미 중국을 궁핍의 구렁텅이로 몰아넣고 있어.
살려 줘요!
경
제

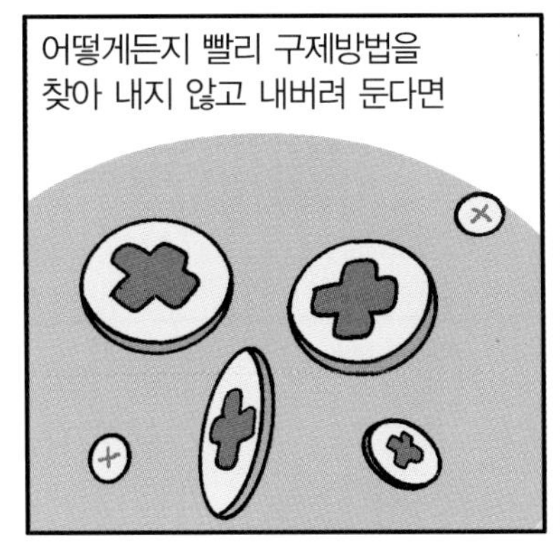

그런데 지금은 외국에 대한 손실액이 매년 12억 원 이상이라니, 매년 12억 원을 조공으로 바치고 있는 셈이라고.

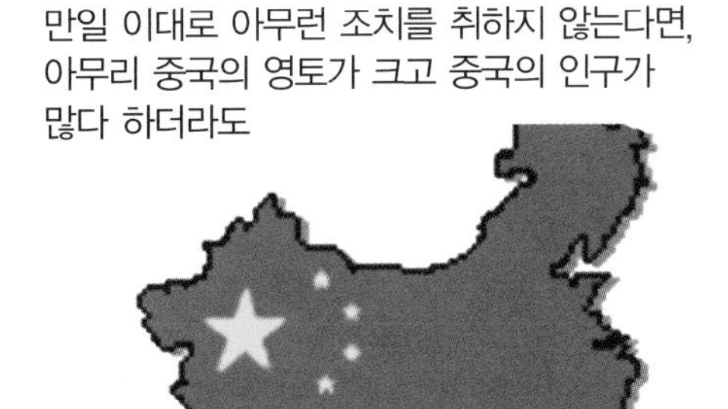

중국 민족의 앞날을 생각한다면 어떻게든지 이 압박을 이겨 낼 방법을 강구해 내지 않으면 안 돼.

# 인디언의 삶과 포카혼타스

아메리카 원주민이었던 인디언의 삶은 미국 영화의 소재로 많이 사용됩니다. 하지만 정복자인 미국인을 통해 인디언의 생활이 표현되기 때문에, 원주민에 대한 횡포나 지배자의 강압은 감추어진 채 정복과 지배가 미화되는 경우가 많습니다. 그중 하나로 만화 영화 〈포카혼타스〉를 통해 알아볼까 합니다.

영화 내용은 아메리카 원주민 추장의 딸 포카혼타스와 미국 개척시대에 이름을 떨쳤던 영국인 선장 존 스미스와의 사랑과 모험 이야기입니다. 1600년경, 젊은 영국인 선장 존 스미스는 신대륙을 향해 모험을 떠났고, 미지의 세계인 신대륙에 도착합니다. 거기서 존 스미스는 숲속으로 정찰을 나갔다가 원주민 추장 딸 포카혼타스를 만나고 이들은 사랑에 빠지게 됩니다. 그 후 두 사람의 사랑은 점점 깊어가지만, 개척자와 원주민 간의 갈등이 점점 심각해져 갑니다. 어느 날, 총에 맞을 위기에 처한 추장을 존 스미스가 몸을 던져 구하자, 원주민의 개척자를 향한 불신과 미움도 사라지게 됩니다. 이렇게 영화는 포카혼타스와 존 스미스의 사랑을 통한 두 종족의 화해와 협력의 메시지를 담고 있습니다.

▲ 존 스미스를 위해 애원하는 포카혼타스 (19세기 일러스트)

▲ 포카혼타스가 세례를 받는 모습 (1840년, 채프먼 作)

그러나 이런 영화가 현실을 바탕으로 했다고 하지만 백인들의 입장에서 인디언의 정복을 합리화하기 위해 왜곡한 부분이 많습니다. 16세기 이후 유럽 국가의 신대륙 개척은 스페인, 포르투갈, 프랑스 등에 의해서 본격화되었습니다. 신대륙으로부터 얻은 금은보화로 유럽 국가들은 부를 누릴 수 있었고 이에 자극을 받은 영국은 신대륙 개척에 뒤늦게 참여했는데, 초기에는 인디언들과 우호적인 관계를 유지했습니다. 이것은 영국의 개척지에 살던 인디언 부족이 온화한 성향을 가지고 있었기 때문이었습니다. 이 부족의 추장이 포카혼타스의 아버지였던 포와탄 추장입니다.

영화의 주인공인 존 스미스, 포카혼타스 그리고 포와탄 등은 모두 실존 인물이며 그들이 수백 년 전 미국 동부 해안 지역에 살았던 것도 사실입니다. 하지만 그 점을 제외한 나머지 상황 설정은 전적으로 허구였다고 해요. 포카혼타스는 존 스미스와 열애를 나눈 적도 없을 뿐만 아니라, 그녀의 생애는 백인과 인디언의 평화 대신 비극적인 인디언 멸망사를 예고했습니다.

영국 원정대의 일원이었던 존 스미스는 척박하고 낯선 아메리카 대륙에서 기력을 잃어 가던 영국 이주민들을 효과적으로 잘 이끌었으나, 영국인 거주 지역을 습격한 포와탄 부족이 존 스미스를 납치해 죽음의 위기를 맞은 그를 포카혼타스가 눈물의 호소로 구해냈다는 것이 영화 〈포카혼타스〉의 중심 내용이지만, 대부분의 역사가들은 이것을 믿지 않습니다. 왜냐하면 그가 아메리카를 떠난 지 수십 년이 지난 후, 즉 포카혼타스가 사망한 지 7년이나 지나서 이 드라마 같은 인연이 세상에 알려졌기 때문입니다. 당시 포카혼타스는 이미 영국에서 유명한 인물이었기 때문에 어느 정도 과장된 것이 아니었을까 하는 점이 있습니다.

포카혼타스가 백인 남성과 사랑에 빠진 것은 사실이지만 그 대상이 존 스미스는 아니었고, 더군다나 그 사랑은 백인의 폭력이 없었다면 가능하지도 않았을 것입니다. 포카혼타스는 1613년 새뮤엘 아겔이라는 영국인에게 납치되어 억류되었습니다. 그녀는 영국인이 인디언과 협상할 때 유리한 자리를 차지하려고 잡아 놓은 인질이었는데, 그녀는 백인들의 생활에 놀라운 정도로 잘 적응했고, 그곳에서 백인 남성 존 롤프와 사랑에 빠져 결혼까지 했습니다. 그 후 영국에 도착한 포카혼타스는 극진한 환대를 받았고, 영국은 그녀를 공주 신분으로 대우했습니다.

▲ 포카혼타스 초상화

포카혼타스가 이렇게 유명해진 이유는 영국인과 평화를 유지하던 인디언 부족의 추장 딸이었다는 점도 있겠지만, 그녀의 변신이 영국인들을 감동시켰던 점도 있습니다. 인디언을 미개인이라고만 생각했는데 백인 문화에 동화되어 가는 인디언이 그들에게는 자신의 문화에 대한 자부심이나 긍지를 주는 데 충분한 광고가 되었던 겁니다. 그러나 혹시라도 포카혼타스가 행복했을지 몰라도 인디언의 삶은 그렇지 않았습니다. 인디언과 백인의 행복한 화해가 영화에서는 가능할지 모르지만 현실에서는 불가능했습니다. 백인은 인디언들의 영토권 주장을 완전히 부정했고, 또 더 이상 저항할 수 없을 때까지 퇴거 명령과 학살을 반복했습니다.

▲ 포카혼타스 동상 (미국 버지니아 주)

포카혼타스의 죽음도 어찌 보면 인디언의 비극적인 역사를 예고한다고 볼 수 있습니다. 그녀는 아버지보다 먼저 영국 땅에서 사망하는데 그 원인은 천연두였습니다. 천연두는 결핵과 함께 유럽인들이 가지고 있는 질병으로, 면역력이 없었던 수백만의 인디언들을 죽음으로 몰고 간 죽음의 병이었죠. 결국 포카혼타스도 다른 인디언 부족처럼 아메리카를 발견한 백인들에 의해 죽음을 맞게 된 것은 아닐까 합니다.

참고 도서: 이영재, 《세계사의 9가지 오해와 편견》, 웅진출판

민족주의라는 것은 국가의 발전을 꾀하고 종족의 생존을 도모하기 위한 보물이야.

지금 신지식을 배운 젊은이들은
민족주의를 구태의연한 것으로까지 받아들이고
있어.
민족주의

왜 이렇게 되었을까?
민
족
주
의

지금 찾아볼 수 있는 것이라고는
'임금의 은혜', '임금의 땅'이라는
등의
청나라

청나라를 지배했던 만주족에 대한
칭송뿐이야.

청나라 만주족은 중국을
통치하면서, 지식과 학문이 뛰어난
한족을 정부에 등용시켰어.
임명장

그래서 학식 있는 사람들은 만주족을
위해 일했고,

문인들은 민족주의를 이야기하지
않았지.
난 몰라.

만주족이니 한족이니 구별하지
않고, 만주족이 황제가 되는 일을
도왔고,

오랑캐에 대한 나쁜 문서들은
모두 폐기해 버려 민족 사상은
완전히 없어진 거야.

기껏해야 최하층 농민들의
가슴속에만 민족주의가 남아
있다고나 할까,
에휴

공식적인 것에서 '민족'이라는
개념은 없어졌지.
민족

민족주의가 소멸한 이 시점에서,
그 원인을 이야기해 보자고.

가장 큰 원인은 이민족에 의한 지배일 거야.
어떤 민족이 다른 민족을 정복했을 경우,

정복당한 민족의 사상은
독립된 것일 수 없지.

만주족은 이것을 교묘히
이용했던 것이고.

하지만 세계에서 이민족에게 정복당한
민족은 중국 하나만이 아니야.

유대인은 그리스도가 태어나기도 전에 이미 외국에 정복되어 있었지만
민족은 아직도 존재하고 있고,

인도 역시 나라는 망했지만 민족은 남아 거세게
저항을 계속하고 있어.

폴란드도 100년 넘게 망국의
시기가 있었지만

민족 사상이 남아 지금은
원래의 나라를 되찾고 발전을
거듭하고 있지.

그런데 왜 중국만 민족 사상이
없어진 걸까? 그것을 알기
위해서는

중국이 강국이었던 과거로 거슬러
올라가야 할 거야.

중국은 원래 문명 문화를 가진 거대한
강국이었지.

늘 당당한 나라로서 문화의 나라라는 것을 내세웠고,

다른 나라는 미개한 나라로 여기며 세계의 중심으로 우뚝 섰어.

옛날 《맹자》에 있는

'하늘에는 두 개의 해가 없듯이, 한 나라에는 두 임금이 없다.'는 구절을 보면

하늘과 중국을 동일시했다는 것을 알 수 있어. 결국 중국은 민족주의가 아니라

세계주의로 나가고 있었다는 뜻이야.

역대 제왕은 제국주의적 시각에서 전 세계를 하나로 묶으려고 다른 민족을 정복했던 셈이지.

중국은 몇천 년을 내려오면서 항상 '평천하(平天下)*주의'를 실행하며

평천하

아시아의 작은 나라를 완전히 정복해 왔어.

*평천하 – 천하를 평정함.

하지만 중국의 정복은 요즘 유럽이 하는 제국주의와는 달라.

무력에 의한 비인간적인 정복이 아니라,

평화적인 수단으로 작은 나라들이 스스로 중국의 속국이 되길 희망했던 것이지.

그러고는 세계주의를 주창하고 있어. 그래서 민족 사상을 담고 있는 '삼민주의'를 세계의 새로운 조류에 맞지 않는다고 비판하고 있어.

만약 장래에 영국이 우리를 정복해 중국 민족이 영국 민족으로 바뀐다 해도 괜찮을까?

만일 중국인이 영국 국적으로 귀화하여 그들을 돕고, 중국을 무찔러도

세계주의적 사상에 입각해 한 것이기 때문에 괜찮다고 생각한다면,

우리의 양심은 편안할까?

만약 조금이라도 양심이 괴롭다면 그건 바로 민족주의 때문이야.

바로 그래서 민족주의는 인류의 생존을 꾀하기 위한 보물이야.

마치 글 쓰는 사람의 생활 도구가 붓인 것처럼,

인류 생존의 도구가 민족주의라는 거야.

붓이 없는 사람이 글 쓰는 직업을 가질 수 없는 것처럼,

민족주의 없이 인류는 생존할 수 없다는 뜻이야.

* 윌슨(1856~1924) - 미국의 제28대 대통령.

중국 역시 미국의 호소에 호응하여 많은 노동자를 보냈어.

연합군이 좋은 주장을 생각해 내 발표함으로써

유럽과 아시아를 가리지 않고 피압박 민족은 하나가 되어

연합군을 도와 동맹국을 무찌를 수 있었던 거야.

하지만 전쟁이 끝난 뒤 민족 자결의 각 조항들은 지켜지지 않았어.

전쟁이 한창이었을 때 약소 민족과 한 덩어리였던 제국주의 국가들은

민족 해방과 제국주의의 이익이 충돌되는 부분이 너무 많으니까

전쟁 뒤에는 윌슨의 주장을 바꾸고 불공평하게 조약을 맺었지.

결국 세계의 약소 민족은 스스로 결정할 수 있는 자결(自決)은커녕 자유롭지조차 못했던 거야.

세계에서 강대한 힘이 있는 민족은

전 세계 이익을 독차지할 수 있는 독점적 지위를 누리고 있기 때문에,

약소 민족의 이익이나 부흥을 용납하지 않았지.
약소
민족

그러면서도 날마다 세계주의를 말하고 있어!
세계주의~

민족주의는 너무나 좁다는 얘기를 하지만,
세계주의
민족주의

세계주의는 결국 제국주의고 침략주의라는 것을 알아야 해.
까불지 마!
세계주의
제국주의

유럽이 우리 중국을 앞서 나아가고 있는 것은
유럽

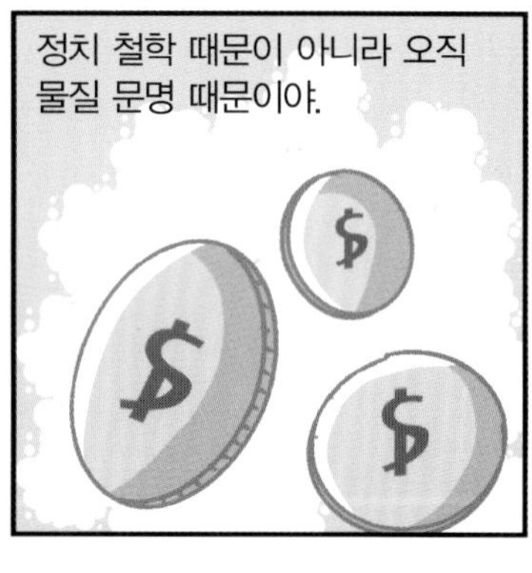
정치 철학 때문이 아니라 오직 물질 문명 때문이야.
$
$
$

또한 육해공군의 갖가지 무기나 탄약의 강력함과 새로운 설비와 무기의 개발이 가능한 것은 과학이 발전한 덕이지.
60

그런데 이 과학이라는 것은 17, 18세기 이후 뉴턴 같은 대학자들에 의해 이뤄진 것으로 관찰과 실험으로 모든 사물을 연구하는 학문이야.

유럽 과학 문명의 진보는 기껏해야 최근 200년 정도에 불과해.

몇백 년 전만 해도 유럽은 중국과 비교조차 할 수 없는 상황이었어.
더 배우고 오너라.

지금 중국은 유럽에게 배우려고 하는데, 이왕 배울 바에는 중국에 없는 것을 배워야 해.

중국에 없는 것은 과학이지 정치 철학이 아니라고.

정치 철학이라면 오히려 유럽이 중국을 통해 배워야 하는 거야.
oh!
정치 철학

세계주의는 유럽에서는 비로소 근세에 이르러 세상에 나온 얘기지만,
세계주의

중국에서는 2천 년 전부터 얘기되어 온 것이니까.

중국 고유의 문명에 대해 유럽인들은 아직도 알지 못해.
?
양쯔강

중국의 역대 왕조가 평화를 사랑하며, 주변의 약소 민족과 공존할 수 있었던

수많은 전략과 철학을 다 알지 못한다는 거야.
철학
전략

정치 철학 면에서는 중국 4억의 인민은 이미 수많은 발전을 했고,
정치 철학

세계의 도덕적 면에 있어서도 중국 인민은 진심으로 평화를 사랑하고 있어.
평화

다만 민족주의를 상실했기 때문에 고유의 도덕과 문명을 발휘하지 못하고,
민족주의

오늘날에 이르러 퇴보를 하고 있는 거야.
아르르..
세계주의

지금 유럽인이 주장하는 세계주의는 사실 강권만 있고 공리가 없는 주의야.
크르르

영어에 'Mighty is right.' 라는 말이 있어.
정의

즉 '힘이 곧 정의' 라는 거야. 결국 싸워 이길 수 있는 자에게 진리가 있다는 뜻과 같아.
진리

중국인은 원래 싸움이라는 것을 야만스러운 것으로 여기지.
야만인

싸움 따위를 생각하지 않는 이러한 도덕이야말로
도덕

세계주의의 참다운 정신이라고 생각해.
세계주의
정신

우리가 이 정신을 지키고 이 정신을 넓혀 나가기 위해서는 무엇을 토대로 하면 좋을까? 바로 민족주의를 토대로 해야 한다는 거야.
민족주의

세계 대전 뒤 혁명을 겪으며 제국주의에 반대하며
제국주의

사회주의 이상을 꿈꾸는 1억 5천만 명의 러시아인이 유럽에서의 세계주의의 토대가 된다면,
세계주의
유럽

4억의 중국인은 민족주의를 굳건하게 다지고 넓혀서 아시아에서의 세계주의 토대를 이루어야 해.
민족주의
아시아

중국의 고전인 《대학(大學)》에
대학

'천하를 평안하게 하려면 먼저 그 나라를 다스려야 한다.' 는 말이 있듯이,

자기 나라를 먼저 민족주의로 다스리고,

그것을 빛내고 발전시킬 수 있도록 한 뒤에 세계주의를 염려하자는 거야.

이렇게 해야만 세계주의를 주장할 수 있는 현실적 토대가 만들어진다고 볼 수 있어.

자, 중국이 처한 지위를 정확히 알고,

우리가 죽느냐 사느냐의 갈림길에 있다는 것을 알아야 해. 알면 당연히 실행할 수 있는 거야.

고전에 '아는 것은 쉽고 행하는 것은 어렵다.' 는 말이 있지.

그러나 난 그렇게 생각하지 않아. 알기만 한다면 행할 수 있는 거지.

결국 아는 것은 어렵고 행하기는 쉬운 거야. 중국이 과거에 망국(亡國) 된 것을 몰랐기 때문에 나라가 멸망 상태에까지 이른 거라고.

만일 그것을 미리 알아서 대비했다면 멸망에 이르지 않았을 거야.

우리가 민족주의를 되찾기 위해서는 지금 중국의 어려운 위치를 알아야 하고,

그것을 가슴으로 느껴야만 해. 그렇게 해야만 민족주의가 되살아날 수 있어.

민족주의

처방

다른 민족에게 200년이나 정복되어 있었고, 지금은 각국의 노예가 되어

정치적·경제적인 압박, 그리고 인구의 감소 등으로 재앙을 맞이하고 있어.

경제
정치

그러한 재앙이 가져온 위기를 마음속으로 받아들이지 않는 한

회복하려고 해도 영원히 희망은 없고, 중국 민족은 머지않아 멸망하고 만다는 것을 알아야 해.

외국인들은 중국을 '흩어진 모래알'이라고 하지만 우리 인민들은 뭉치기 쉬운 몇 가지 특성이 있어.

매우 견고한 가족과 종족 단체가 있다는 거야.

가족과 종족에 대한 중국인의 관념은 매우 깊지.

이를테면 중국인은 길에서 만나 얘기를 나누고 나서 꼭 '성함은 어떻게 되십니까?' 라고 물어 보고,

같은 성씨임을 알게 되면 매우 친밀해지잖아. 같은 성씨의 형제라고 생각하는 거야.

이렇게 좋은 관념을 넓혀 나가면 종족주의에서 국족주의로 확대시킬 수 있어.

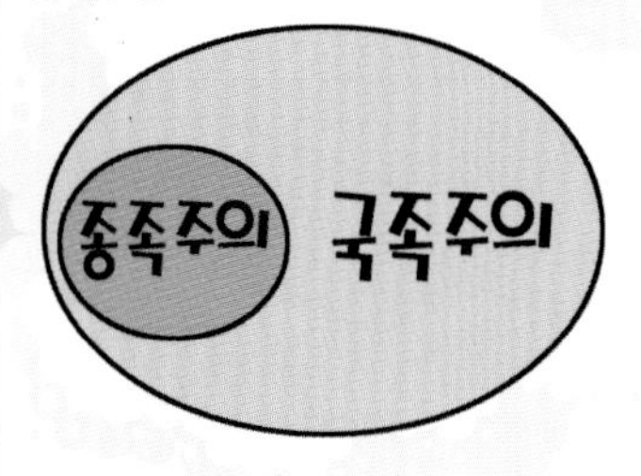


잃어버린 민족주의를 되찾기 위해서는 단체를 가질 필요가 있어. 그것도 아주 큰 단체가 필요해.

이러한 큰 단체를 결성하기 위해서는 먼저 작은 기초부터 다져야 하지.

작은 기초가 바로 종족 단체인 거야.

이 밖에 향토라는 기초도 있어. 중국인의 향토 관념은 강해서 같은 성, 같은 도(都), 같은 마을 사람들은 아주 잘 뭉쳐.

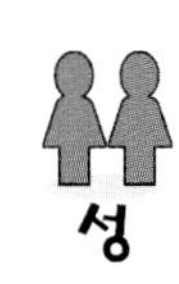


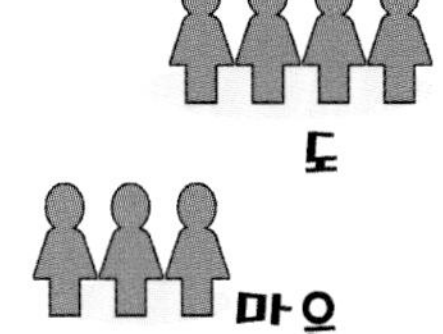


외국인은 개인을 단위로 생각하지만, 중국인은 가족을 단위로 생각하지.

가족을 중하게 여기며, 중요한 일은 가장이 결정하는 조직을 가지고 있다고.

모든 일은 가족에서 시작하는 우리 중국인의 힘을 가족에서 종족으로, 종족에서 국족으로 확대하면 되는 거야.

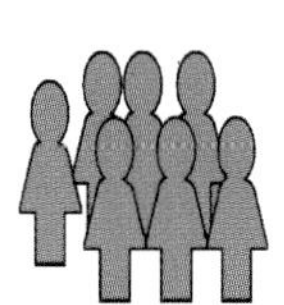

그것으로 나라를 융성하게 하며, 외부의 압박을 막을 수 있어.

영국의 식민지를 반대하던 인도인이 평화적인 '비협력'을 대대적으로 실천해 나갔듯이

우리 중국인도 '비협력'을 전국적으로 실천할 수 있다면

1. 외국 제품 안 사고 국산품 사기
2. 외국 은행에 돈 안 맡기기
3. 외국 앞잡이 되지 않기
4. 외국인 공장에서 일하지 않기

등등…

중국은 코앞에 닥친 멸망의 위기를 극복해 낼 수 있어.

전국적으로 외국 세력에 저항하기 위해서는 종족 단체를 기초로 하나의 거대하고 강력한 힘을 가진 단체로 뭉치면

민족의 멸망에서 빠져 나올 수 있어. 이것을 명심해 힘을 모아 보자.

# 미국 윌슨 대통령의 민족자결주의

본문을 보면 민족자결주의에 의해 민족주의로 뭉쳐서 외국으로부터의 정치적 압박을 벗어나야 한다는 주장이 나옵니다. 그렇다면 이 '민족자결주의民族自決主義'란 무엇일까요? 말 뜻 그대로 한다면 각 민족에겐 정치적 운명을 스스로 결정할 수 있는 권리가 있다는 뜻인데, 결국 각 민족은 자주적인 국가를 형성할 권리가 있으며, 다른 민족의 간섭을 받을 수 없다는 겁니다. 인간이 개인으로서 기본적인 인권을 가진 것과 마찬가지로 민족이라는 인간 공동체도 민족자결권이라는 기본 권리를 가지고 있다는 거죠. 이러한 민족자결권은 20세기 초반에 제국주의에 의해 식민지 국가가 된 피억압민족에게 커다란 영향을 끼쳤습니다. 다른 나라의 정치적·군사적 지배로부터 벗어나 자주적인 국가를 수립하기 위한 국제적인 분위기에 힘입어 열강의 식민지 국가들은 민족운동에 활기를 띨 수 있었습니다.

▲ 윌슨 대통령

이러한 민족자결주의의 주창이 있은 후, 우리나라에서도 거대한 민족운동의 물결이 일어났습니다. 그것은 바로 3 · 1운동인데, 당시 우리나라는 일제 시대였습니다. 일본과 불평등조약을 맺고 일본의 식민지가 되어 정치적 예속 상태에 있었던 거죠. 정치적·군사적·사회적인 우리나라의 이권이 일본에게 넘어 가고, 일본의 정치적 장악이 일반 국민들에게 몸소 다가와 커다란 굴욕감에 빠져 있을 때, 미국의 윌슨 대통령이 '민족은 스스로 운명을 결정할 수 있다.'는 민족자결권으로 민족마다 자유로운 독립 국가를 가질 수 있다는 권리를 전 세계에 표방했습니다. 우리나라 사람들은 너무나도 기뻤고, 그래서 전국적으로 만세를 외쳤습니다. 3·1운동은 1919년 3월 1일, 비폭력적인 만세 시위로 시작했는데, 시간이 갈수록 규모가 커지고 동시에 무력 저항으로 변해, 결국에는 일본의 잔인한 진압에 의해 실패하고 말았지만, 우리 민족의 단결된 자주 의지를 보였던 역사적인 일제 저항 운동으로 의의가 높습니다.

▲ 윌슨이 독일에 선전포고하는 모습

우리나라뿐 아니라 베트남, 중국, 인도에서도 활발하게 민족운동이 일어났는데, 이와 같은 국제적 분위기 속에서 가능했던 것입니다. 윌슨의 민족자결주의라는 사상적 배경을 통해 약소국가들이 민족의 단결된 힘을 보일 수 있었지만, 이것은 정치적인 배경 속에서 나왔기 때문에 한계가 있었습니다. 1918년 1월 윌슨이 성명한 '14개조' 안의 민족자결권은, 제1차 세계대전에서 패전국들이 가지고 있었던 식민지 독립에만 해당하는 경우가 많았습니다. 즉 국제조약의 성격상 강제성이 있지 않

▲ 윌슨의 초상이 들어간 미국 지폐(1934년)

았기 때문에 세계대전의 승전국들은 그런 민족자결권에 아랑곳없이 그대로 식민지를 유지할 수 있었습니다. 결국 일본의 식민지였던 우리나라를 포함해, 승전국의 식민지는 독립을 할 수 없었고 패전국의 식민지만 일부 독립을 할 수 있었습니다.

실제로 윌슨 대통령이 주장한 민족자결주의는 철저히 미국적 상황에서 비롯되었다고 보는 견해도 있습니다. 제1차 세계대전 당시 전 세계는 이미 영국이나 프랑스, 네덜란드, 독일 등 서구 열강에 의해 식민지로 전락되어 있었습니다. 유럽 열강들이 식민지 쟁탈전을 벌이고 있을 당시, 미국은 국내의 서부 개척을 하기 위해 원주민이었던 인디언들과의 소모전을 벌여야 했습니다. 그러다 뒤늦게나마 외국에 눈을 돌리고 식민지 개척을 하려고 했지만 벌써 다른 나라들이 대부분 식민지로 점령해 버린 후였습니다. 그러니 미국으로서는 당시의 판도를 한 번 뒤집지 않고서는 미국의 국제적 지위를 올릴 수 없었습니다. 즉 다른 나라의 식민지들이 독립되어 있어야, 자신들이 그 나라에서 자유롭게 이권을 얻을 수 있었던 거죠. 그래서 나온 것이 민족자결주의입니다. 즉 식민지 상태의 민족들에게 나라를 돌려준 다음, 미국 자신의 영향력을 행사하고 싶었던 속셈이 있었던 거랍니다. 하지만 이러한 미국 대통령의 국제적 주장은 식민지를 보유한 서양 열강들이 동참할 리 없었고, 그다지 정치적 영향을 갖지 못했습니다. 대신 세계대전의 패배로 힘을 잃어버린 패전국의 식민지만 민족자결주의에 힘입어 독립할 수 있었습니다.

제6장
민권시대는 어떻게 왔는가?

민권주의가 무엇일까? 민권주의를 이해하기 위해서는 먼저 '민(民)' 이란 무엇인지 알아야 해.
民

'민' 이란 조직이나 단체처럼 많은 사람들을 가리키는 말이라고 할 수 있지.

그렇다면 '권(權)' 이란 무엇일까? 권은 힘이란 단어와 실제로 같은 뜻이기도 하지.
힘 (권)
쾅

하지만 내가 얘기하는 권은 개인의 힘이 아니라,
내가 아니구나

국가만큼 커져서 강대한 힘을 가지는 것을 의미해.
국가 권력

명령을 행사하는 힘이나 군중을 제어하는 힘 같은 것을 바로 '권' 이라고 할 수 있지.
통제

민과 권을 합치면 '민권'이니, 이것은 곧 인민의 정치력을 말하는 거야.

그러면 정치의 힘이란 무엇일까? 이 이치를 이해하려면 먼저 정치를 이해할 필요가 있어.

정치란 심원*하고 난해하여 보통 사람들은 쉽게 이해할 수 없는 것으로 생각하지.

*심원 – 헤아리기 어려울 만큼 깊다.

중국 군인들은 군인이라 정치를 모른다고 말하지.

왜 정치를 모르는 것일까? 그것은 정치를 어렵게만 생각하기 때문이야.

그런데 알고 보면 정치란 분명하고도 쉬운 것이야.

정치에 간섭하지 않겠다고 말하는 것은 괜찮지만,

정치를 모른다고 말하면 안 되는 것이지.

왜냐하면 정치의 원동력은 군인에게 있기 때문이야.

그러므로 군인은 당연히 정치를 알아야만 하고, 정치가 무엇인지를 이해하고 있어야 해.

'정치'의 '정(政)'은 다수의 사람,

'치(治)'는 다스리고 관리한다는 말이니

인류가 생존하기 위해서는 '보(保)'와 '양(養)'이라는 두 가지가 있어야 하지.

이런 점에서 '권(權)'은 인류가 싸움을 위해 늘 사용해 온 것이야.

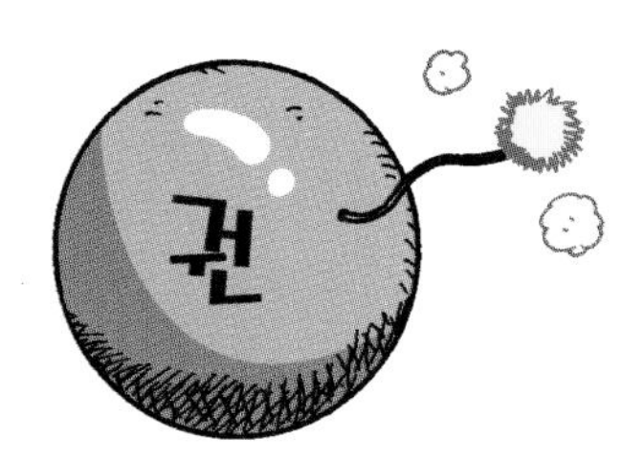


인류가 발생한 이래 오늘날까지 매일매일 이 싸움 속에서 지내 온 거지.

신해 혁명으로 중화민국이 성립된 지 벌써 13년이 되었어.

황제를 몰아 내어 지금은 군권*이 없지.

일본은 지금도 군권국가인 데다 아직도 신을 예배하고 있어.

그리고 일본의 황제를 '천황'이라고 불러.

*군권 – 군주의 권력.

중국 황제도 옛날에는 '천자(天子)'라고 불렀어.

즉 그 시대에는 군권이 상당히 오랫동안 발전하고 있었는데도

아직 신권*에서 벗어나지 못하고 있었던 거야.

*신권 – 신에게서 받은 신성한 권력.

이렇게 보면 역사 이래 오늘날까지 신권시대를 거쳐 군권이 발생했다는 것을 알 수 있어.

그리하여 힘 있는 무인이나

대정치가가 교황의 권력을 빼앗아 스스로 교주가 되거나 혹은 황제를 자칭하였지.

황제와 국가의 구별이 없어지고, 자기는 황제이므로 '짐은 곧 국가다.' 라고 말한 프랑스의 국왕 루이 14세*도 있었으니깐. 국가의 모든 권력을 자기 손아귀에 넣었으며 독재 정치는 극에 달했어. 바로 중국의 진시황* 같았지.

그러다가 차츰 신권이 작아져 쇠퇴하고 왕권이 점점 강대해지게 된 거야.

*루이 14세(1638~1715) – 프랑스의 국왕. 태양 왕으로 불림.
*진시황(B.C.259~B.C.210) – 중국 진나라의 제1대 황제.

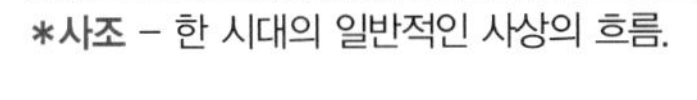
***사조** – 한 시대의 일반적인 사상의 흐름.

*공리 – 공중이나 공공 단체의 이익.

*강권 – 강한 힘을 가진 권력으로 국가가 사법적 · 행정적으로 행사하는 강력한 권력 작용.

민권시대라고도 불린단다. 이러한 시대는 매우 새로운 시대라고 할 수 있지.

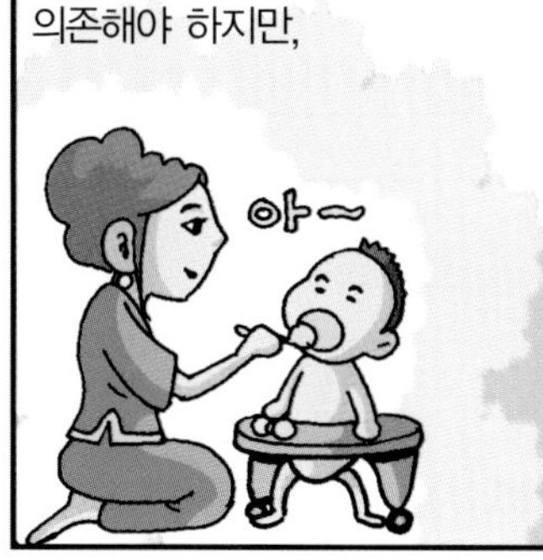

그런데 아직도 군권을 지지하고
민권을 배격하는 학자가 많다는 게
문제야.
군권

특히 일본에는 이런
학자가 많아.
군이 힘이
있어야지.

나이 많은 관리들은 아직까지도
제왕 체제의 복귀를 꾀하기도 하지.
황제
그립다.

지금 전국의 학자 중에는 군권을
주장하는 사람도 있고, 민권을 주장하는
학자도 있어.
민중이 우선...
무슨
헛소리...

아직까지도 정치 체제를
정하지 못했다고 봐야 해.
갈팡
질팡

그러나 중국은 민권정치를 주장하는
바야.
인민에 의한 정치

그래서 세계 각국의 사정에 대해
확실하게 연구해야 해.

과연 군권과 민권 중 어느 쪽이
현재의 중국에 알맞을까?
민권
군권

이 문제는 매우 연구할 만한
가치가 있어.

근본적으로 토론해 보면, 군권이나
민권 모두
100분
토론

정치를 관리하고 인민을 위해 일을
처리하는 것은 마찬가지야.
군권
민권
민원처리
업
무

다만 정치적으로 각 시대마다
상황이 같지 않으므로 사용하는
방법이 같을 수는 없지.
혼돈기

그러면 오늘날의 중국에서 민권은 적합한 것일까?

어떤 사람은 중국 인민의 수준이 너무 낮아 민권은 적합하지 않다고 말하기도 해.

그래서 한 예로 황제가 되기를 꿈꾸었던 위안스카이의 고문을 했던

미국의 굿나우(F. J. Goodnow) 교수는 중국에 와서 군권을 주장했어.

중국의 인민 사상이 발전하지 못해 민권을 실시해서는 안 된다고 하더군.

결국 위안스카이는 그의 주장을 이용하여 민국을 뒤엎고

스스로 황제라고 칭했지.

그러나 중국 인민은 지금 민권을 주장하고 있어. 이를 위해서는 민권에 대한 뚜렷한 인식이 있어야 하지.

중국은 역사 이래로 민권을 실행한 적이 없었어.

4천 년 이상의 역사를 가진 중국은 평화로울 때나 어려울 때나 모두 군권을 써 왔어.

그렇다면 군권은 중국에게 이로울까, 해로울까?

중국이 군권으로 인해 받은 영향은 이익 반, 손해 반이라고 할 수 있어.

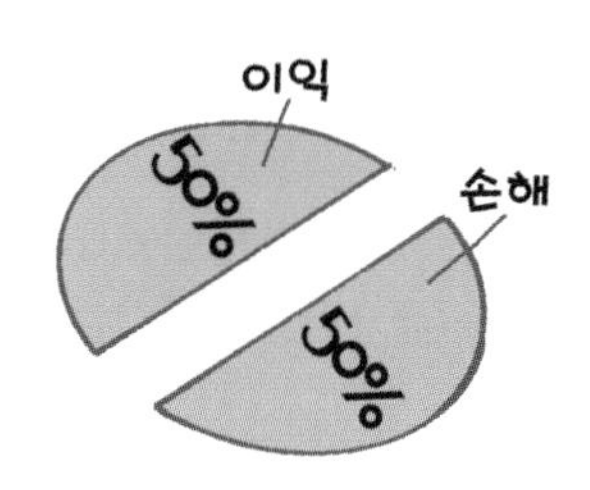

그러나 중국인은 총명하고 재주가 많으니
민권을 쓰는 편이 훨씬 적합할 거야.

그러기에 이미 2천 년 전에 공자와
맹자는 민권을 주장했던 것이지.

공자가 《예기》에서 말한
것을 보면 알 수 있어.
공자
曰

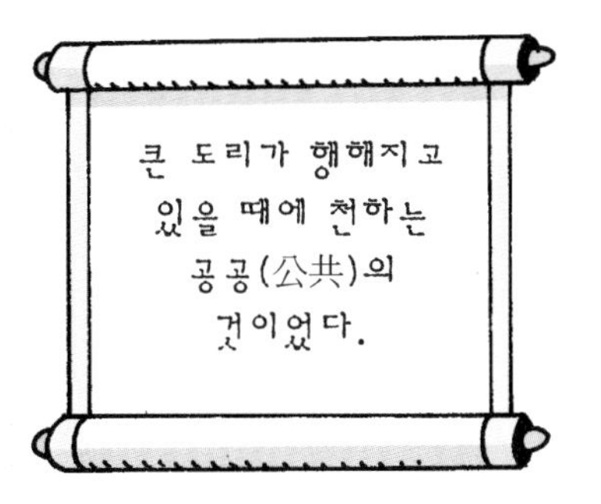
큰 도리가 행해지고
있을 때에 천하는
공공(公共)의
것이었다.
라고 하는 《예기》를 보면 말이야.

이는 민권에 의한 대동 세계를
주장한 거라고 할 수 있어.

또한 흔히 말하는 '요순시대'의
요임금이나 순임금은
모든 토지는 백성의 땅.

천하를 사유화하지 않았어.
정치는 명목상 군권이지만
내용은 민권이었지.
임금님 덕에 잘 산다.

그래서 공자는 늘 그들을 받들고
존중했던 것이야.
존경

이 점에서 민권에 대한 중국인의
견해는 이미 2천 년 이상 전부터
갖고 있었다는 것을 알 수 있어.
민권

다만 그 무렵엔 아직 거기까지
실행할 수 없다고 생각한 것이지.
?
민권

민권에 대한 정신은 있었지만 구체적인
정치 체제로 바꿀 수 없었던 시대적
한계가 있었지.
거두어 주세요.
민권

중국인에 대한 느낌을
외국인이 말하는 걸
들어 보면,

그들은 입을 모아 중국은 민권이 안 된다고 주장한단 말이야.

지금 유럽, 미국은 민국(공화국)이 성립되어 민권이 실현된 지 150년이나 되었지.

물론 그와 같은 사상은 중국의 옛사람들도 갖고 있었어.
민의 정치

그렇다면 이제는 우리가 영원한 국가의 평화와 인민의 행복을 바라고

세계 조류에 따르기 위해서는 민권을 써야 해.
군권
민권

그렇다고는 하나 민권이 사용된 지 그리 오래되지 않았고,
민권

세계에는 아직도 군권을 쓰는 나라가 많지.

각국은 지금 민권을 실행함에 있어서 많은 좌절과 실패에 직면하고 있어.
민권

중국에서는 민권에 대한 논의가 있은 지 2천 년 이상이 지났지만,
민권

유럽, 미국에서는 겨우 150년밖에 되지 않은 탓이야.
공화정치
150

우리가 중국 혁명에 이 민권제도를 사용하기로 결정한 것은,
민권

첫째, 세계의 조류에 순응하기 위해서고
민권

둘째, 국내의 전쟁을 단축하기 위해서야.

*유방 – 중국 한나라의 초대 황제인 고조의 본명.

*항우 – 중국 진나라 말기의 무장. 숙부 항량과 함께 군사를 일으켜 유방과 협력하여 진나라를 멸망시키고 스스로 초의 패왕이 되었다.

그러나 우리가 혁명을 선전하는 것은 청나라 왕조 타도뿐 아니라 공화국 건설에 있다고 하자, 그제서야 6, 7명의 사람도 제왕 사상에서 벗어나게 되었어.

공 화 제

그럼에도 한두 명은 아직까지도 황제가 되려는 옛날 사상을 벗어 던지지 못하고 있어.

만일 이 의미를 알지 못한다면, 황제가 되고자 하는 야심은 영원히 없앨 수 없어.
황제! 황제!

여러분이 만일 황제가 되고 싶다면 첫째, 동지가 동지를 치는 것이 되고,
얍!

둘째는 자국인이 자국인을 치는 것이 되지.
같은 민족끼리 서로 죽이다니.

그러면 전국은 끊임없이 서로 싸움을 벌여 인민의 재앙이 계속될 거야.

나는 이 재앙을 없애기 위해 혁명을 일으킨 처음부터 민권을 주장했고, 공화국을 결의했던 거야.
민
공
화
국
권

그럼 공화국을 설립하면 도대체 누구를 황제로 앉힐까?
제
상

바로 인민을 황제로 만드는 거야. 4억의 인민을 황제로 삼는 거지.
백성이 왕이다.

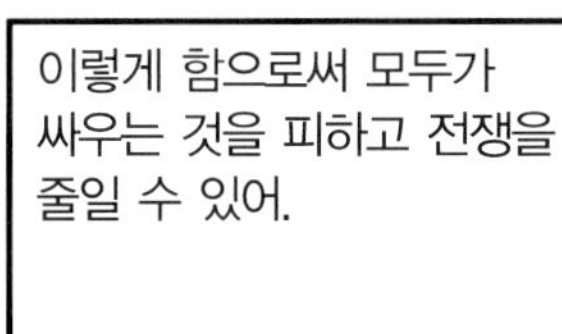
이렇게 함으로써 모두가 싸우는 것을 피하고 전쟁을 줄일 수 있어.
우리들... 세상...

중국 역사를 살펴보면 조정이 바뀔 때마다 반드시 전쟁이 있었지. 결국 중국의 역사는 항상 치(治, 다스림)와 난(亂, 어지러움)을 거듭해 왔다고 해도 과언이 아니야.
치
난

외국에서는 일찍이 종교와 자유를 위해 싸웠어.

그러나 중국에서는 수천 년 이래 하나같이 황제라는 문제 때문에 싸웠지.

이제 우리가 공화를 주장하는 것은 분명 역사의 진보라고 할 수 있어.
공화

# 루이 14세와 절대주의

절대주의를 쉽게 이해하기 위해서 프랑스 국왕 루이 14세 이야기부터 시작할까 합니다. '태양왕' 이라고도 불리던 루이 14세가 통치했을 때부터 프랑스혁명까지의 시기를 우리는 절대주의시대라고 합니다.

루이 14세(1638~1715)의 초상화는 아주 유명한데 다른 왕들의 초상화와는 달리 카리스마가 넘칩니다. 원래 초상화라고 하는 것은 그 사람의 성격과 내면까지도 그려지게 마련인데, 이 그림만큼은 전혀 인간적인 모습이 느껴지지 않는 듯합니다. 사실 이러한 모습은 모두 루이 14세의 의도에 따라 조심스럽고도 교묘하게 만들어진 것입니다. 즉 어떻게 하면 귀족이나 성직자 들이 저절로 고개 숙일 수 있는 권위를 왕이 지닐 수 있는지 고심했던 사람이고, 그것을 아주 효율적으로 드러낼 수 있었던 군주였던 겁니다. 미신에 빠지기 쉬운 일반 평민들은 18세기에 이르러서도 왕이 '만지기만 하면' 병을 낫게 할 수 있다는 마술적 힘을 가

▲ 루이 14세

지고 있다고 믿었습니다. 루이 14세는 이러한 믿음을 이용하여 신적 권능을 부여받았고, 또 보통 인간과는 현격하게 다른 신권적 지배자로서의 위상을 드높였습니다.

▲ 어릴 적 루이 14세

또한 루이 14세의 궁전이었던 베르사유 궁전은 국왕의 권능을 상징하는 곳으로 유명합니다. 파리 외곽에 있는 베르사유는 무려 40여 년간의 공사 끝에 완성됐습니다. 이곳의 화려하고 세련된 궁정 생활은 귀족들의 기를 죽이는 수단으로 충분했죠. 건물은 그 자체가 하나의 무대였습니다. 그 무대 위에서 루이 14세는 날마다 절대주의 의식을 거행함으로써 귀족 계급을 매혹시켰고, 그에게 복종하도록 했습니다. 궁정 외관은 그 주요부의 길이가 500미터가 넘었고, 내부는 프랑스 군대의 승전과 국왕의 승리를 기념하여 아로 새긴 그림들로 장식되었습니다. 바깥 정원에는 1400개의 분수와 아폴로 조각상 들이 즐비했습니다. 아폴로는 태양의 신으로, 바로 프랑스의 '태양왕' 임을 자처한 루이 14세를 연상하게 해주었습니다.

▲ 베르사유 궁전의 한 모습

예전에도 국왕의 권력은 언제나 절대적으로 강했지만, 귀족계급과 성직자계급에 의해서 견제와 감시를 통해 균형을 이뤄왔습니다. 하지만 루이 14세에 이르러서는 개인적인 지도력과 시대적인 분위기 때문인지, 귀족이나 성

▲ 루이 14세의 결혼식

직자 들은 서로 견제하기는커녕 국왕 앞에 절대적 복종을 다짐했다고 하니 국왕의 권력이 굉장했으리라 생각되죠. 하지만 이런 절대왕권 앞에 가장 희생을 치러야 하는 것은 농민들이었습니다. 중앙집권적 왕권을 위해서는 많은 재정적 부담이 있었고 이것이 모조리 농민들에게 돌아가야 했기 때문입니다.

하지만 루이 14세의 정치적 공적은 의미있었습니다. 왕권을 강화하고 국력을 증진시키는 데 온 힘을 기울였고, 또 성공했죠. 그는 귀족과 성직자의 세력을 억누르고 자신이 임명한 관리들을 각 지방으로 보내 그곳을 다스리며 세금을 걷게 했습니다. 뿐만 아니라 성장하는 신흥 부유 시민이었던 부르주아 계층을 적극적으로 지원했습니다. 그들에게 높은 관직을 주기도 하고, 국가가 나서서 수공업 공장과 무역회사를 만들어 해외 진출을 도왔습니다. 이에 힘입어 프랑스인들은 인도와 북아메리카에 식민지를 건설할 수 있는 물적 토대를 만들었죠.

또 늘어난 세금과 해외 팽창에서 얻은 이익은 막강한 군대 육성으로 이어졌습니다. 루이 14세가 즉위할 무렵 2만 여명에 지나지 않던 상비군이 재위 50년이 지난 1694년에는 40만 명을 헤아릴 정도로 늘었습니다. 프랑스는 국왕 중심의 강력한 중앙집권화, 상공업 보호와 군대 육성을 특징으로 하는 절대주의의 모범이 되었습니다.

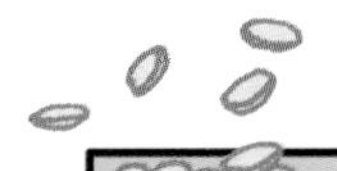

# 제7장 개인의 자유와 민족의 자유

그러므로 민권을 이야기할 때 먼저 자유, 평등, 박애라는 세 가지 이야기부터 하지 않으면 안 되지.

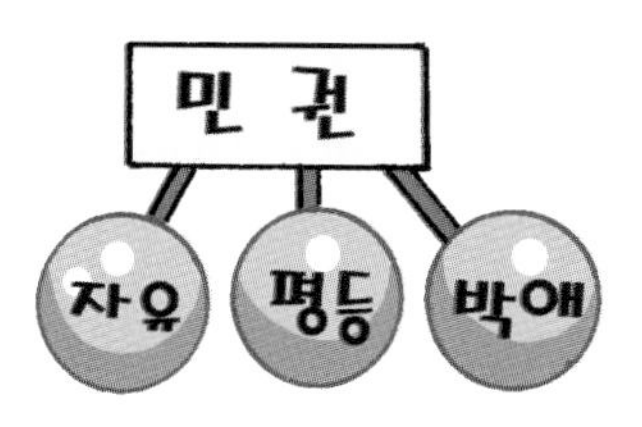

이 두 글자를 듣던가 책에서 보기는 했을 거야.

?

자유~

자유를 간단히 말하면,
하나의 단체 속에서 움직일 수 있고

그러나 우리에게는 자유와 아주 닮은
고유의 말이 있어. 즉 '멋대로' 라는
말이지.

제멋대로니까 흩어져 있는 모래와
마찬가지로 저마다 큰 자유를
누리고 있는 셈이지.

나는야
자유인~!

그런데 또 한편으로 중국인은
자유를 분별하지 못한다고 말하지.

그러나 모두에게 자유가 있다면
한 줌의 흩어져 있는 모래일 것이고,

모두가 하나의 견고한 단체로
결합하면 흩어진 모래처럼은 되지
않지.
뭉치자.
단단하게

따라서 외국인이 우리를 이와 같이
비평하는 것은 스스로 모순에 빠진
것이라 할 수 있어.
모
순

그렇다면 자유란 결국 좋은
것일까?
자유

외국인들은 지난 2, 3백 년 동안 자유를
쟁취하기 위하여 전쟁을 했다고 말하지.

그러나 이것은 내가 볼 때
중국의 보통 사람으로서는
도무지 영문을 알 수 없는
말이야.

외국인이 자유를 위해 싸웠을 때
그들은 자유주의를 크게 선전하고
자유!

굉장히 신성한 것으로 여겼으며,
자유

나아가서는 '자유가 아니면 죽음을
달라.'는 말까지 구호로 내세웠어.
자유 or 죽음

그래서 외국인의 학설을 번역한
중국 학자들은 이것을 받아들여,

자유를 옹호하고 쟁취하기 위해
싸울 것을 결의했어.
자유

처음에는 그 용기가 옛날의
외국인과 거의 다름없었지.
쟁취
우리
중국도
할 수
있다.

그러나 중국의 일반 민중은 역시 자유가 무엇을 말하는지 이해하지 못했어.
?
뻘쭘..
자유

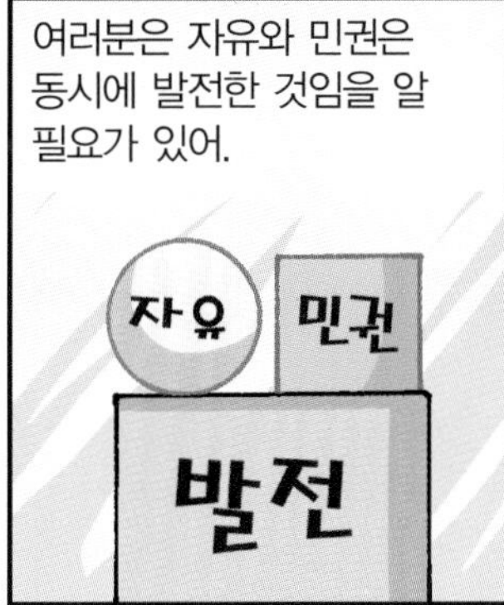
여러분은 자유와 민권은 동시에 발전한 것임을 알 필요가 있어.
자유
민권
발전

유럽의 민권을 이야기할 때 자유를 이야기하지 않을 수 없어.

유럽이나 미국에서 자유를 얻기 위해 얼마나 많은 피를 흘리고, 얼마나 많은 생명이 희생되었는지를 알 필요가 있지.

지금 세계는 민권시대야.
민권

유럽과 미국에서 시작된 민권의 역사가 100년이 넘어.
민권
100년

이 민권의 유래를 깊이 파고들어가 보면 자유를 얻은 뒤에 생긴 것임을 알 수 있어.
민
권
자유

민중의 생명이 희생된 것은 원래 자유를 쟁취하기 위해서였어.
자유

자유를 쟁취한 결과 민권을 얻은 것이지.
민권
자유

이른바 '민주주의(데모크라시)'란 고대 그리스시대를 말하는 거야.

오늘날에도 유럽, 미국의 민중은 이 말에 별 관심이 없어. 정치학에서나 중요한 용어지.
정치학
민주주의
탐구

이에 비하면 자유라는 두 글자는 생명과 관계되는 것으로 엄청난 차이가 있어.
자유
생명

또한 민권이라는 사실은 그리스 · 로마시대부터 이미 싹트기 시작했어.

그 무렵 정치 체제가 '귀족 공화정' 이었기 때문에 그랬던 것이지.

그 뒤 그리스 · 로마가 멸망함에 따라 이 말도 잊혀지고 말았어.

그러다가 최근 200년 동안 자유를 얻기 위해 전쟁을 하게 되었고,

그래서 민권이라는 말 또한 부활한 거야.
민
권

지난 수십 년 이래 민권을 이야기하는 사람은 더욱 많아지고,
민권…
민권…

중국에서도 유행하여 역시 많은 사람들이 민권을 논하고 있어.
민권…
민권…

그러나 200년 동안 해온 유럽 전쟁에서는 민권을 다툰다고 하지 않고 자유를 쟁취한다고 말했어.
자유

당시 유럽의 인민이 자유라는 말을 금방 알아들은 것은,
자유

중국인이 '돈벌이'라는 말에 눈이 동그랗게 떠지는 것과 같은 거야.
뭐? 돈!

지금 중국인에게 자유를 쟁취해야 한다고 말해 봤자 무슨 말인지도 모를 거야.
뭐?
자유 쟁취

그러나 부자가 될 돈벌이가 있다고 말한다면 많은 사람들이 따를 것이란 말이지.

유럽이 그 무렵 전쟁에서 내세운 명목은 자유를 얻는다는 것이었지.

그것은 그들이 이 말을 참으로 잘 알고 있었기 때문이야.

그러기에 인민은 자유를 위해 싸웠고, 자유를 위해 희생하였으며, 모두가 자유를 존중했지.

그렇다면 왜 유럽의 인민은 자유라는 말을 들으면 그렇게도 환영했을까?

지금의 중국 인민은 어찌하여 자유라는 말을 들어도 이해하지 못하고, '돈벌이'라는 말에만 눈이 번쩍 뜨이는 것일까?

거기에는 여러 가지 이유가 있는데, 그것을 명확히 말하자면 상세한 연구가 필요하지.

지금 중국 인민은 궁핍하고 재력도 소진된 시대에 접어들었어.

그들이 겪고 있는 모든 괴로움이 가난이라는 것에서 생겼기 때문이야.

돈벌이야말로 가난에서 벗어날 수 있는 유일한 방법이지.

그러기에 모두들 이 말을 들으면 대환영이야.

그럼 돈벌이는 어떤 좋은 점이 있을까? 그건 바로 가난을 구제할 수 있다는 거야.

***봉건제도** – 천자가 여러 제후에게 토지를 나누어 주어, 제후가 각각의 영유 지역에 대하여 전권을 가지는 국가 조직.
***전제** – 국가의 권력을 개인이 장악하고 그 개인의 의사에 따라 모든 일을 처리함.

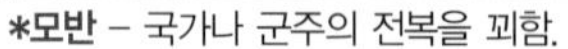
***모반** – 국가나 군주의 전복을 꾀함.
***구족** – 고조 · 증조 · 조부 · 부친 · 본인 · 아들 · 손자 · 증손 · 현손까지의 동족 친족을 통틀어 이르는 말.

지금 민국은 13년이 지났지만 정치가 혼란하여

건설에 아무런 노력을 기울이지 않고 있으며,
중화민국

인민과 국가와의 관계도 지금껏 방임하고 있어.
정부

민국 건설 13년 전, 인민과 청조 황제는 어떠한 관계에 있었는지 회상해 볼까?

따지고 보면 임금과 인민들 사이에는 무수히 많은 관리와 직위가 있어서 참으로 멀게 느껴졌던 거야.
아~함.
황제 얼굴도 몰라.

황제에 대한 인민의 관계는 세금을 바치는 일뿐이었어. 세금을 바치는 일 이외에는 정부와 아무런 관계가 없었지.
세금

이 때문에 중국 인민의 정치 사상은 극히 빈약하게 되었지.
정치? 그게 뭔데 그래?

모든 인민은 누가 황제가 되든 세금만 바치면 그것으로 책임을 다한 것으로 생각했어.
세금이나 내면 그만이지 뭐!

정부는 인민이 세금만 바치면 다른 것은 전혀 개의치 않았으며,
착하다.
세금

자연히 태어나고 죽어가는 대로 방치했어.
백성
세금이 얼마냐?

이것만 보아도 중국 인민은 전제로 인한 커다란 고통을 직접적으로는 받지 않았음을 알 수 있어. 받았다면 간접적인 고통뿐이었지.
외국 경제
콰아

따라서 당시 황제에 대한 인민의 원한은 그리 대단하지 않았지.

군주의 전제가 매우 극심하여 인민의 고통은 견디기 어려울 정도였지.

당시 인민은 그와 같은 고통을 겪으면서 부자유스러운 점이 매우 많았어.

지금 네덜란드나 프랑스 식민령이 된 지역에서 행해지고 있는 왕래의 부자유, 행동의 부자유를 보면 알 수 있어.

원래 중국의 속국이었는데 지금 네덜란드 손에 들어간 인도네시아 자바 지역에 가면

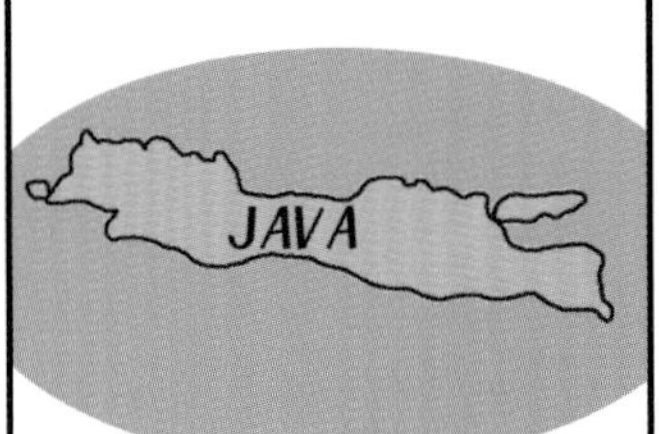

민권은 자유로부터 나온 것이므로

유럽인이 옛날에 자유를 얻기 위해 싸웠을 때의 사정을 명확히 알아 두어야 해.

만약 그 사정을 명확하게 모르면 자유의 귀중함도 알 수 없지.

유럽인이 당시 자유를 위해 싸운 것은 일종의 열정에 지나지 않아.

그 뒤 열기가 점점 식게 되자,

자유에는 장단점이 있으며, 신성한 것만은 아님을 알게 되었어.

도대체 중국인은 왜 한 줌의 흩어진 모래일까? 이것은 각자에게 자유가 너무 많기 때문이야.

중국인에게는 자유가 너무 많기 때문에 혁명이 필요한 것이지.

명쾌하게 잘라 말하면, 유럽의 혁명 목적과는 정반대야.

유럽에서는 너무나 자유가 없었기 때문에 혁명으로 자유를 쟁취할 필요가 있었지.

그러나 우리는 자유가 너무 많고 단체가 없으며 저항력도 없기 때문에

한 줌의 흩어져 있는 모래가 된 것이야.

그래서 외국 제국주의의 침략과 열강의 경제적 압박을 받고도 저항조차 못하고 있는 거지.

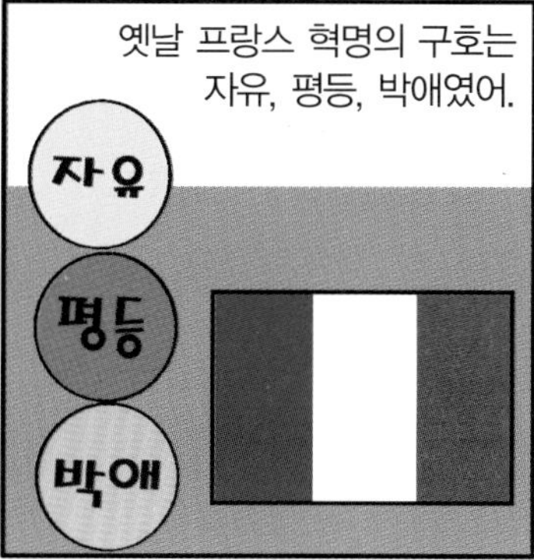


우리의 혁명 구호는 '민족, 민권, 민생'이야.
그러면 우리 삼민주의의 구호와 프랑스
혁명의 구호는 어떠한 관계가 있는 것일까?

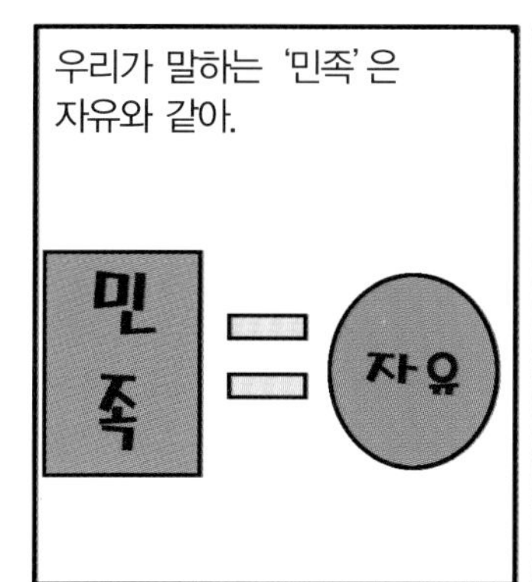

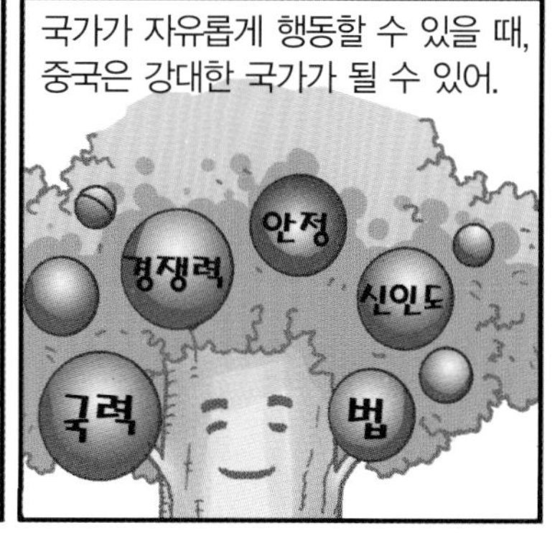

이와 같이 되기 위해서는 각 개인의 자유를 희생시킬 필요가 있어.

개인 자유

학생이 자유를 희생한다면, 열심히 공부하여 학문적으로 성과를 올릴 수 있어.

학문이 이룩되고 지식이 발달하여 능력이 풍부해지면, 국가를 위해 활동할 수 있어.

군인이 자유를 희생한다면 명령에 복종할 수 있고, 진심으로 나라를 위해 힘쓰며,

충성!

그리하여 국가에 자유를 가져다 줄 수 있는 거야.

만약 학생이나 군인이 자유를 외친다면 중국에서의 자유에 해당하는, 말 그대로 '제멋대로'가 되어

학교에서는 교칙이 없어지고 군대에서는 군기가 없어지지.

학교에서의 교칙과 군대에서의 군기가 빠지면, 그러고도 학교라고 말할 수 있으며, 군대라고 칭할 수 있을까?

그러면 왜 국가를 자유롭게 해야 하는 것일까? 그것은 중국이 열강의 압박을 받아 국가의 지위를 잃고 있기 때문이야.

식민지가 아닌데 실제로는 식민지만도 못한 대접을 받고 있다는 것을 알아야 해.

조선이나 베트남, 버마는 한 나라의 식민지로 한 주인의 노예일 뿐이지만,

주인님

중국은 세계 각국의 식민지로 각국의 노예가 되었어.

중국은 지금 10여 개 국가를 주인으로 섬기는 노예야. 그러므로 우리는 참으로 부자유스러워.

국가의 자유를 되찾기 위해서는 개인의 자유를 모아 하나의 견고한 단체를 만들 필요가 있어.

국가를 견고한 큰 단체로 만들기 위해서는 혁명주의가 없으면 성공하지 못하지.

혁명주의는 곧 우리 모두를 뭉치게 하는 시멘트와 같아.

4억의 사람들이 모두 혁명주의로 뭉칠 수 있다면 하나의 큰 단체가 돼.

이 큰 단체가 자유로울 수 있다면 중국이라는 국가는 당연히 자유로워지고, 그리하여 중국 민족은 참으로 자유로워지는 거야.

우리의 삼민주의 구호와 프랑스의 혁명 구호에서 평등과 민권은 똑같은 거야. 왜냐하면 민권주의는 인민의 정치적인 지위가 모두 평등하고

군권을 무찔러 모두가 평등하지 않으면 안 된다고 주장하기 때문이지.

이 밖에 '박애'라는 구호가 있지만 이 말의 원래 뜻은 '형제' 관계라는 것으로서, 중국의 '동포'라는 말과 같다고 생각하면 돼.

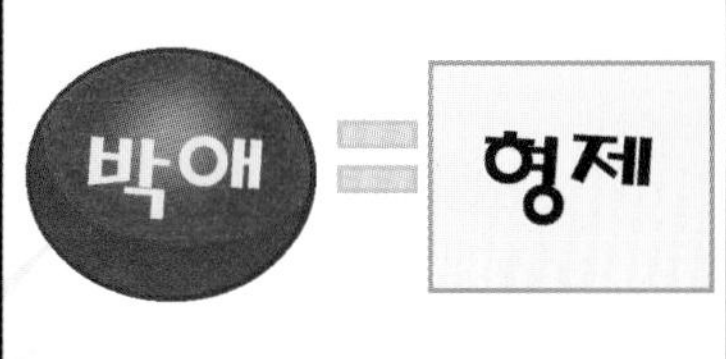


이것에 내포되어 있는 이치는 우리의 민생주의와 같아.

왜냐하면 우리의 민생주의는 4억 인간의 행복을 도모하기 위한 것이기 때문이지.

이것은 내가 민생주의를 얘기할 때 좀 더 자세히 설명할게.

# 프랑스 혁명

절대주의라 하더라도 통치 능력과 개인적 안목 등 모든 면에서 가장 유능한 군주만이 국가의 통치를 성공적으로 수행해 나갈 수 있었습니다. 그런데 프랑스 왕 루이 16세에게는 이런 재능이 없었습니다. 루이 16세는 20세가 되던 해인 1774년, 왕위에 올랐지만 그는 착하고 선하기만 할 뿐 둔하고 무능한 군주였다고 합니다. 그는 절대 권력의 통치에 관한 일보다는 취미생활이던 사냥하기와 자물쇠 만들기에 더 관심이 많았습니다. 심지어는 프랑스 혁명이 일어난 날, 군중들이 바스티유 감옥을 공격하는 날에도 그는 일기장에 '아무 일 없었다.' 라고 쓸 정도였습니다.

혁명의 주요 원인은 경제적 재정의 위기였습니다. 행정적 낭비와 부조리 때문에 계속 심화된 재정 위기가 한층 높아졌죠. 특히 프랑스가 미국의 독립전쟁에 개입한 데서 그 위기는 더욱 심해졌습니다. 미국이 영국과 전쟁을 벌이자 프랑스는 영국을 견제하기 위해 미국 편에 서서 전쟁에 개입했습니다. 그 결과 미국이 승리하기는 했지만 당장 그로 인한 재정 부담을 프랑스가 안게 된 거죠.

▲루이 16세

이러한 재정 위기는 가격 상승과 복합되었습니다. 가격 상승은 농민, 도시 수공업자, 노동자에게는 어려움을 가중시킵니다. 가격 상승으로 이들의 구매력이 상당히 감소할 수밖에 없었으니 말이죠. 특히 그 당시에 발생한 흉작으로 인해 영주들의 수입이 급격히 감소하자 이를 메우기 위해 그들은 농민들에게 많은 부담을 줬습니다. 또한 비싼 빵 가격 때문에 도시 빈민들의 좌절감이 높아졌고 따라서 이들 모두의 상태는 더욱 악화되었습니다. 각 가정 수입의 50퍼센트 이상을 빵 구입에 지출해야 했으며, 다음 해에는 80퍼센트로 상승했습니다. 흉작으로 인해 수입원이 없자 각 가정에서는 식량 외의 다른 것을 구입할 능력이 거의 없었습니다. 많은 농민들이 농촌을 떠나 도시로 갔으나, 오히려 도시가 농촌보다 더 심각한 실업상태에 처해 있었습니다. 당시 프랑스 도시 지역의 대부분에서 실업률이 50퍼센트를 넘었습니다. 실업으로 발생한 경제적 절망감은 정치권에 대한 분노를 일으켰고, 농민과 도시 노동자들을 잠재적인 혁명가로 만들었습니다.

▲ 민중을 이끄는 자유의 여신

하지만 이러한 상황을 잘 모르던 루이 16세는 바닥난 재정을 회복시키기 위해서는 세금을 더 거둬들여야 한다는 생각을 했습니다. 그러나 귀족과 성직자 들이 이에 고분고분하게 응해 주지 않았습니다. 그래서 결국 루이 16세는 이들 특권층의 기세를 꺾기 위해 무려 175년 동안이나 소집되지 않았던 삼부회를 소집했습니다. 결국 성직자와 귀족, 평민층의 각 대표들이 왕의 세금 정책에 손을 들어 주는 역할을 하기 위해 소집했던 회의였던 거랍니다. 그러나 평민 대표들은 왕의 정책에 단순히 손만 들어 주는 수동적 역할을 거부했습니다. 그들은 왕이 생각했던 옛날의 평민들과는 딴판으로 변해 있었습니다.

이에 화가 머리끝까지 치민 국왕이 삼부회 회의실을 폐쇄하고 해산시키려고 하자, 평민 대표들은 테니스 코트를 점거하고 농성하기에 이르렀습니다. 등골이 휘도록 세금을 바치던 그들은 전체 농지의 40퍼센트 이상을 차지하면서도 세금 한 푼 안 내는 귀족과 성직자 들의 횡포를 더 이상 참을 수 없었습니다. 국왕이 군대를 동원해 이들을 해산하려고 하자 이를 저지하기 위해 파리 민중들은 7월 14일, 이들을 지원하기 위해 총궐기를 해, 총과 화약을 약탈하여 무장을 하기 위해 바스티유 감옥을 습격하여 무기고를 털었습니다.

현재 프랑스의 최대 국경일이기도 한 프랑스 혁명은 이렇게 가능했던 것입니다. 혁명이 성공하고 나서도 바스티유 감옥을 습격한 사람 863명을 선발하여 '바스티유 공격자' 라는 영웅적인 칭호를 부여하고 연금 지급 대상자로 선정했었다고 하니 얼마나 커다란 상징성이 있는지 짐작할 수 있습니다.

이렇게 민중들이 부르주아인 평민대표들과 연합해서 싸울 수 있었던 것은 그들이 함께 할 수 있는 이념적 공감대 때문입니다. 바로 여기서 장 자크 루소의 인권사상이 나오는데, 그는 프랑스 혁명이 일어나기 30여 년 전부터 '인간은 본래 자유롭게 태어났으나 지금 모든 곳에서 사슬에 얽매여 있다.' 며 현실의 모순을 비판했습니다. 사람들이 가난으로 고통받는 것, 부도덕한 지배층에 억압받는 것 등은 모두

이 사회가 만든 것이라는 것입니다. 모든 인간은 기본적으로 선하며 고귀한 존재고, 이러한 인간의 선의와 존엄성을 훼손하는 사회 체제는 끊어버려야 할 사슬에 불과하다고 봤습니다. 더구나 그는 이러한 주장을 학술 논문이 아닌 이야기체로 썼기 때문에 대중적으로 널리 읽혔습니다. 혁명이 성공한 후 제정된 프랑스 헌법의 제1조가 '사람은 출생과 더불어 생존함에 있어서 자유, 평등의 권리를 갖는다.' 고 되어 있는 것은 바로 루소의 사상을 그대로 반영한 거랍니다.

제8장
자유와 평등의 근본은 민권
민권

민권은 우리 혁명당의 두 번째 구호로
민권
혁명당

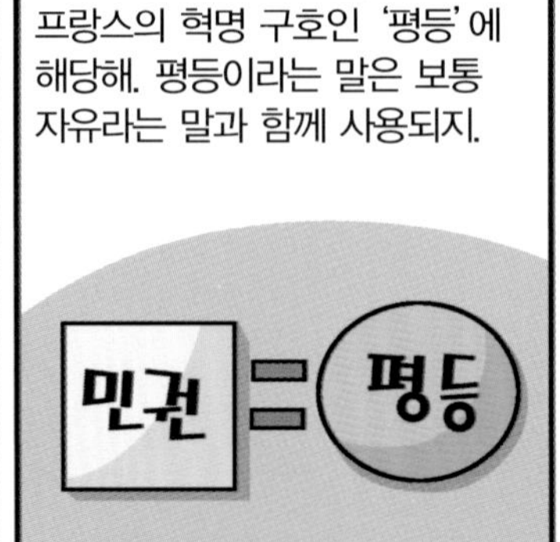
프랑스의 혁명 구호인 '평등'에 해당해. 평등이라는 말은 보통 자유라는 말과 함께 사용되지.
민권
평등

유럽 각국의 혁명에서는 평등이든 자유든 인민은 그것을 얻기 위해 힘을 다했고, 똑같이 희생했어.

따라서 그들은 평등과 자유를 똑같이 중요한 것으로 보고 있었어.
자유
평등

그리고 자유롭기 위해서는 평등을 얻을 필요가 있고,
평등
자유

평등이 없는 한 자유도 없다고 생각하는 사람이 많았어.
구속
자유

평등과 자유를 비교해서 평등이 한층 중요하다고 생각했던 거야.

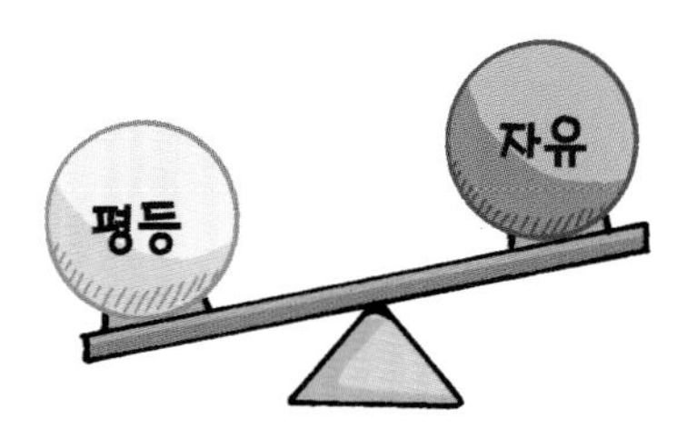


평등이란 대체 무엇일까? 평등이란 어디에서 오는 걸까?

유럽이나 미국 학자들의 이론을 살펴보면, 평등은 하늘이 인류에게 준 것이라고 했어.

평등!

예를 들면 미국의 '독립 선언문'과 프랑스 혁명의 '인권 선언'에서

평등과 자유는 하늘이 사람에게 준 특권이며, 다른 사람이 침범할 수 없는 것이라고 밝혔어.

과연 하늘은 사람에게 태어날 때부터 평등이라는 특권을 부여한 걸까? 우선 이 문제부터 명확히 알아봐야 할 것 같아.

민권의 유래를 거슬러 올라가 인류가 처음으로 태어난 몇 백만 년 전부터 최근 민권이 싹튼 시대에 이르기까지,

일찍이 하늘이 평등을 부여했다는 이치는 본 적이 없어.

예를 들어 하늘이 창조한 만물을 가만히 살펴보면, 수면(水面) 이외에는 평평한 것이 하나도 없는 법이지.

평지라 하더라도 완전하게 평평한 곳은 한 군데도 없어.

또 하늘과 땅 사이에 태어난 것은 어느 것 하나 같은 것이 없어.

모든 것이 다른 이상, 평등이라는 것은 있을 수 없지. 자연계에 평등이 없는데 어찌 인간에게 평등이 있겠어?

제왕에 의해 만들어진 불평등은 인위적인
불평등이야. 인위적인 불평등이란 요컨대
어떠한 상태일까?

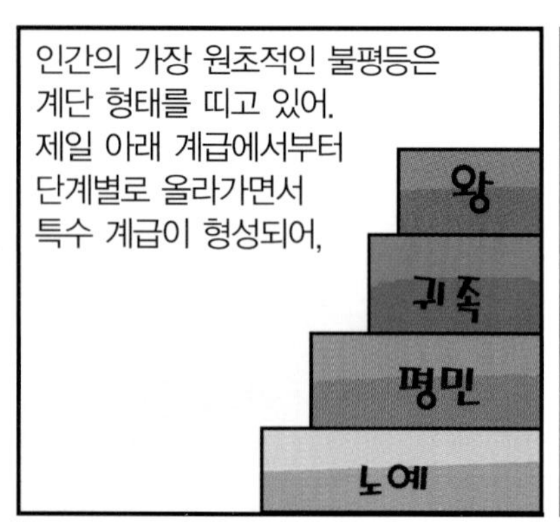

그러므로 이러한 인위적인
불평등은 타파되어야 하는데,

자기들의 지위는 하늘이 준
것이고, 그들에게 거역하는 것은
하늘에 거역하는 것이라고
말하지.

천벌 받을래?

반기

맹목적으로 군주의 권리를 지켜 주었지. 나아가 지식이 있는 인민이 평등과 자유를 주장하면 그것에 반대하기도 했어.

그래서 혁명에 찬성하는 학자들은 군주의 전제를 타파하기 위해 인류의 자유와 평등은

하늘이 부여한 것이라는 천부인권설(天賦人權說)* 을 만들어 냈던 거야.

* 천부인권설 – 모든 사람은 태어나면서부터 하늘이 준 자연의 권리, 곧 자유롭고 평등하며 행복을 추구할 수 있는 권리를 가진다는 학설. 홉스나 로크와 같은 18세기 계몽사상가들이 주장하여 미국의 독립 선언이나 프랑스의 인권 선언의 사상적 배경이 되었다.

학자들이 이 학설을 만든 것은 원래 인위적인 불평등을 타파하기 위해서였어.

그러나 세상일이라는 것은 확실히 '행하기는 쉽고 알기는 어렵다.' 가 여기서도 중요해지지.

당시 유럽 민중들은 모두 제왕은 하늘에서 태어난 천부의 특권을 가진 사람이라고 믿었으며,

무지한 사람들은 그를 떠받드는 것을 당연하게 생각했어.

소수의 학식 있는 학자들로서는 어떠한 방법이나 힘으로도 제왕을 쓰러뜨릴 수가 없었어.

그 뒤 하늘이 낳은 인류는 누구나 평등하고 자유로우며, 그것을 누리기 위한 투쟁은 당연한 일이라고 믿게 되었어.

그때부터 유럽의 제왕들은 한 사람씩 자연히 쓰러졌던 거지.

전제 군주가 쓰러진 뒤 민중들은 인간은 누구나 하늘이 평등하게 낳은 것이라는 학설을 깊이 믿고,

인간의 평등을 달성하기 위해 끊임없이 노력하였어.

평등

놀랍게도 그것은 오래 가지 못했어. 최근 과학이 발달하고 인류가 크게 깨우치게 되면서

천부의 평등이라는 것은 존재하지 않음을 비로소 알게 되었지.
천부의 평등

민중이 믿고 있던 천부인권설을 좇아 진리인지 생각해 보지도 않고 무리하게 따랐지만,
천부 인권설

평등을 이루었다고 생각해서 보니 그것은 일종의 거짓 평등이었어.
텅

원래 사회에서 지위의 평등이란 최초의 평등을 말하며,
출발선

나머지는 각자가 하늘로부터 주어진 두뇌나 재능을 바탕으로 스스로 이룩해 가는 것이야.
와~ 이겼다!
3
8

더욱이 각자의 두뇌나 재능에는 천부의 차이가 있으므로 이룩한 결과 역시 당연히 차이가 있어.
커헙!
부럽다
법관

이룩한 결과가 다른 이상 당연히 평등이라고 말할 수 없어.
신이시여! 왜 저에게는 이것밖에…

진정한 평등이란 이렇게 설명할 수 있어. 만일 하늘이 내린 두뇌나 재능이 있는데도
부럽다.
100점

나중에 이룩한 높은 업적까지 아래로 밀어내리고 일률적으로 평등하게 한다면,
노벨
상
평등

세계에는 진보가 없고 인류는 퇴화하고 말 거야.
평
등

그러므로 우리가 말하는 민권, 평등은 세계를 진보하게 하고 인민의 정치적인 지위의 평등을 도모하는 거야.
평등
민권

왜냐하면 평등은 인위적인 것이지 하늘이 부여한 것이 아니기 때문이야.

인위적인 평등은 정치상의 지위를 평등하게 할 뿐이야.

그러기에 혁명을 한다면 모든 사람의 정치상의 시작을 평등하게 하지 않으면 안 되는 거야.

출발점을 똑같이 평등하게 해야만 참된 평등이라 할 수 있으며, 이것이 자연의 진리라고 할 수 있는 거야.

유럽 혁명에서는 인민이 자유, 평등을 다투는 데 있어 대단한 힘을 기울였고 매우 큰 희생을 치렀어.

왜 그들이 그처럼 힘을 쏟고 희생하였는가를 알려면 먼저 혁명 이전의 상태가 얼마나 불평등했는지를 살펴볼 필요가 있어.

중국은 최하층 계급에서부터 꼭대기인 최상의 권력까지 다양한 계급이 있었어.

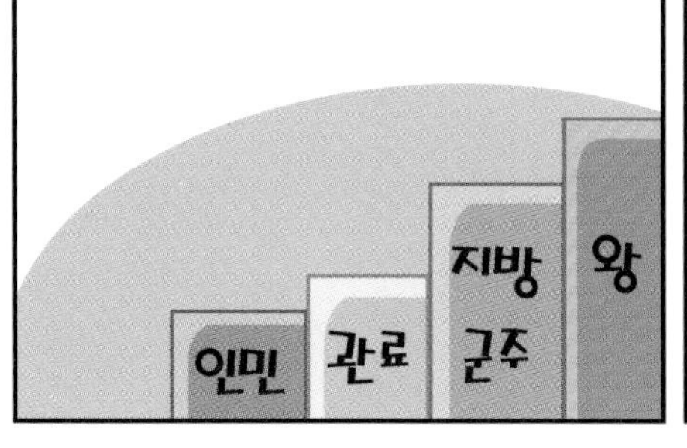


하지만 1911년 신해 혁명 때 전제를 뒤엎고 비로소 계급을 평등하고 고르게 만들었지.

유럽은 2, 3백 년 전에도 여전히 봉건시대로 2천 년 전의 중국과 같았지.

중국 정치는 유럽보다 일찍 진화했기 때문에 2천 년 전에 봉건제도를 타파할 수 있었어.

유럽에서는 지금도 봉건제도를 완전히 타파하지 못하고 있어.

평등 사상이 싹튼 것은 지금부터 겨우 2, 3백 년 전의 일이었지. 중국에서는 이런 사상이 2천 년 전부터 존재하고 있었으니
평등사상
평 등
유럽
중국

정치적 진보가 유럽보다 훨씬 빠른 셈이야.
정치 진보

그런데 지난 2, 3백 년 동안 유럽의 정치적 진보는 중국을 따라 잡았을 뿐 아니라

오히려 중국을 앞질러 버렸어. 이른바 '나중에 온 자가 앞선다.'는 격이 되었어.

최근 유럽 문명이 전해져 정치, 경제, 과학이 모두 중국으로 들어왔어.
과학
정치
경제

중국인은 유럽의 정치 학설을 듣고는 대개는 그대로 받아들일 뿐 전혀 고칠 생각을 못해.
최고!

유럽에서 평등을 위해 투쟁했으므로 중국인도 똑같이 평등을 위해 투쟁해야 한다고 말하지.
투쟁
우리도.

그러나 오늘날 중국의 병폐는 부자유, 불평등에 있는 게 아니야.
자유
평등

가령 자유와 평등이라는 것으로 민중의 마음을 움직이려 해도
자유!
평등!
?

사실과 너무 동떨어져 있기 때문에 인민은 절실하게 느끼지 못하여
나한테 왜 그래?

아무런 반응도 나타내지 않아. 반응이 없으면 결코 따라오지 않는 법이지.
아마 추어 같이!

2, 3백 년 전의 유럽에서 인민이 받고 있던 부자유, 불평등은 불 속이나 물 속을 지나가는 고통이었어.

그렇기 때문에 자유, 평등을 쟁취하지 않는 한 어떤 문제도 해결할 수 없다고 생각하여, 목숨 걸고 자유와 평등을 쟁취하려 했던 거야. 이와 같은 생각이 고조되어 영국의 청교도 혁명(1649)이 일어났고, 미국의 독립 혁명(1776), 프랑스 혁명(1789)이 일어난 거야.

이제 미국에 대해 자세히 얘기해 볼게. 미국 혁명 당시 인민의 목표는 독립이었어.

그들은 왜 독립을 원했을까?

그것은 당시 미국의 13개 주는 모두 영국의 영토로서 영국이 관리하고 있었기 때문이야.

영국은 전제 국가로서 본국의 인민에 비해 한층 가혹하게 미국 인민을 압박하고 있었어.

미국 인민이 볼 때, 그들과 영국의 인민은 같은 영국 정부의 관리 하에 있는데도

본국 인민에 비하여 미국 인민에 대한 불평등이 커서 불만이 많았어.

그래서 영국에서 떨어져 나와 독립 국가가 되려고 했어.

그들은 독립을 위해 영국에 반항했고, 영국과 8년에 걸쳐 전쟁을 하였어.

그 뒤 독립에 성공하여 미국 정부는 백인에 대해서만큼은 모두 평등을 부여했지.

그렇지만 백인 이외의 인종에 대해서는 크게 차별 대우를 하였어.

예를 들면 그들은 아프리카 흑인들을 노예로 간주했지.

미국 독립 뒤 백인의 정치적 지위는 평등해졌으나 흑인과 백인을 비교해 보면 역시 평등이라고 말할 수 없었어.

이 사실은 미국의 헌법과 독립 선언에 들어맞지 않았어.

독립 선언에 다음과 같은 강령이 뚜렷이 제시되어 있었기 때문이지.

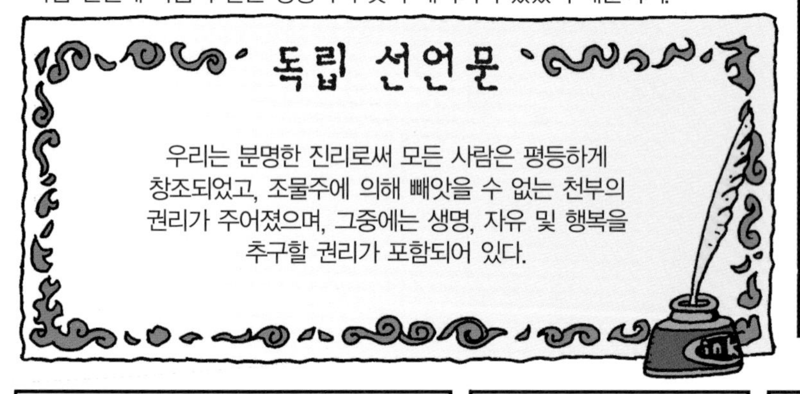


그 뒤에 제정된 미국의 모든 법은 이 이론에 근거하여 만들어졌어.

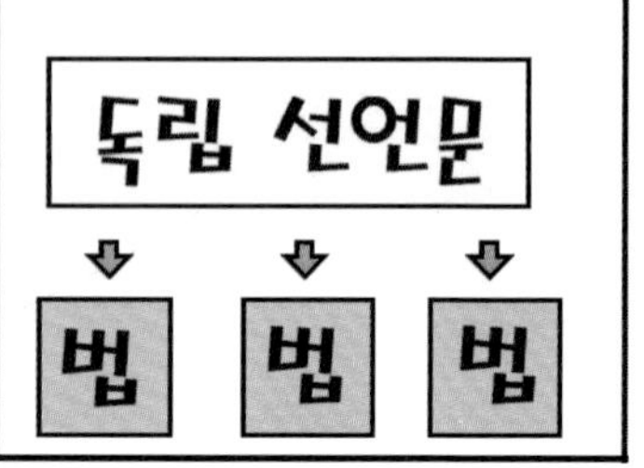


즉 미국은 인류 평등을 주장하였지만 막상 혁명이 성공한 다음에는 흑인을 노예로 삼았던 것이지.

평등과 자유를 주장한 미국의 학자들은 건국 정신에 크게 어긋나는 이 사실을 보고,

평등과 자유를 내세운 공화국이 많은 인류를 노예로 삼는 것에 크게 반대했어.

당시 미국의 흑인에 대한 대우는 어떠했을까? 그때까지 그들은 흑인을 너무 비인간적으로 다루었어.

흑인을 소나 말처럼 여겨 노예로 부렸어.

매일 힘든 일을 산더미처럼 시키면서 일이 끝나도 품삯은 주지 않고 밥만 먹여 줄 뿐이었지.

그래서 이런 불평등한 제도를 타파하고자 인도주의*를 부르짖었어.

인
도
주
의

그 뒤 이 주장은 더욱더 확산되어 찬성하는 사람도 차츰 많아졌지.

많은 열성적인 사람들이 당시 흑인 노예들의 고통을 조사하고 많은 기록을 남겼어.

*인도주의 – 인간의 존엄성을 최고의 가치로 여기고 인종, 국가, 종교, 민족 따위의 차이를 초월하여 인류의 안녕과 복지를 꾀하는 것을 이상으로 하는 사상이나 태도.

그중 가장 유명한 책이 흑인 노예의 온갖 고통 받는 모습을 그린 소설 《엉클 톰스 캐빈》이야. 이 책이 나온 뒤부터 사람들은

Uncle Tom's Cabin

흑인 노예의 고통 받는 상황을 알게 되었고, 그들을 위해 힘써야겠다고 생각했어.

당시 미국의 여러 주 가운데 흑인 노예를 부리지 않는 북부의 각 주에서는 노예 해방을 주장하였어.

자유주
노예주

그런데 남부의 각 주에서는 많은 흑인 노예를 부리고 있었지.

남부의 각 주에는 큰 농장이 많아서 경작하는 데 흑인 노예가 필요했어.

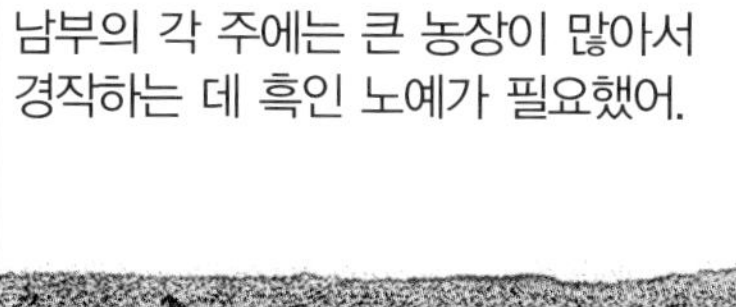

그러므로 노예를 해방하면 당장 일할 사람이 없어져 경작을 할 수 없었던 거야.

남부 사람들은 이러한 이유 때문에 노예 해방을 반대했고,

노예제도는 한두 사람에 의해 시작된 것이 아니라며 억지를 썼어.

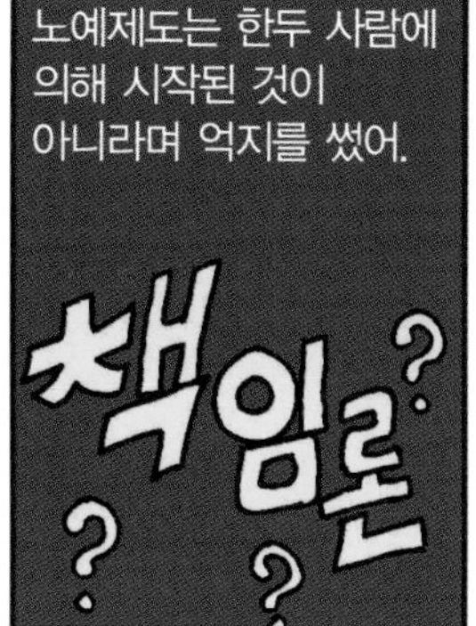


미국인이 옛날 아프리카 흑인을 데려와 노예로 삼은 것은 바로 수십 년 전 유럽인이 중국인을 미국이나 남양*에 데려가 '돼지'로 삼은 것과 똑같았어.

*남양 – 태평양의 적도를 경계로 하여 그 남북에 걸쳐 있는 지역을 통틀어 이르는 말.

흑인 노예는 곧 그 무렵의 아프리카 '돼지'였어.

남부 사람들은 흑인 노예는 자신들의 자본이므로 만일 해방한다면 자본을 회수해야 한다며 노예 해방을 반대했어.

당시 흑인 노예 한 사람의 가격은 5, 6천 원이었어.

남부 각 주에는 수백만 명의 흑인 노예가 있었으니 전부 합하면 수백억 원이 되는 거야.

금액이 너무 크다 보니 국가가 도저히 이토록 많은 돈을 내 흑인 노예를 사들일 수가 없었어.

따라서 흑인 노예 해방 문제는 오랫동안 풀지 못할 숙제로 남아 있었어.

그러나 60년 전 이것은 마침내 폭발하여 미국의 남북 전쟁(1861~1865)이 터진 거지. 이 전쟁으로 양쪽에서 수십만 명이 죽었어. 세계사의 큰 전쟁 중 하나로 꼽히지. 이것은 흑인 노예를 해방시켜 인류의 불평등을 타파하기 위한 전쟁이었어.

그러나 흑인들은 자신이 투쟁해야 한다고 생각하지 못했어.

왜들 저렇게 싸워?

너무나 오랫동안 노예 생활을 해왔고,

무지하여 단지 주인이 밥을 주고 잠을 재워 준다는 것만으로 만족하는 생활을 해왔기 때문이야.

꿀.

물론 드물게는 주인 중에 너그러운 사람도 있어서

흑인 노예들은 자신들을 심하게 학대하지 않는 좋은 주인을 섬기는 것이 소망이었지.

주인에게 반항하고 해방을 요구하며 자기가 주인이 되려는 생각 따위는 하지 못했던 거야.

그러므로 미국의 남북 전쟁에서 평등을 쟁취하고자 한 사람은 흑인을 위해 대신 싸워 준 백인이었어.

즉 다른 사람에 의한 투쟁이었지 흑인 스스로 각성한 것이 아니었어.

전쟁의 결과는 남쪽이 졌고 북쪽이 이겼어.

연방 정부는 즉시 전국에 노예 해방 명령을 내렸어. 남부 각 주는 싸움에 졌기 때문에 이 명령에 복종할 수밖에 도리가 없었고,

그래서 이때부터 흑인 노예에 대해 일체 상관하지 않게 되었던 거지.

해방된 그날부터 흑인 노예에게 밥도 주지 않고, 재워 주지도 않았어.

흑인은 백인에게서 해방되어 자유를 얻고 미국 공화국의 국민이 되어

정치적 평등과 자유를 향한 큰 희망을 가지게 되었어.

그런데 전에는 주인을 위해 일을 하면 밥도 있고 옷도 있고 잠잘 곳도 있었는데

해방된 뒤 주인을 위해 일하지 않게 되자 밥도 옷도 잠잘 곳도 구할 수 없게 되고 말았어.

그러한 변동이 한꺼번에 들이닥치자
흑인 노예는 의지할 대들보를
잃어버린 듯 심한 고통을 맛보았어.

kkk단이닷!

그들의 혁명을 살펴보고, 그들이 범하였던 잘못을 저지르지 않도록 해야 해.

그래서 우리는 자유와 평등을 주장하지 않고 삼민주의를 주창하는 거야.
민권, 민생, 민족

유럽, 미국에서는 평등과 자유를 위해 전쟁을 했지만 일단 쟁취한 뒤에는 그것이 잘못 흘러가는 것이 예사였지.
쿠당탕
자유

그러면 우리가 삼민주의를 실행하고 진정한 자유와 평등을 누리기 위해서는 어떻게 해야 올바른 궤도에 올라갈 수 있을까?
삼민주의

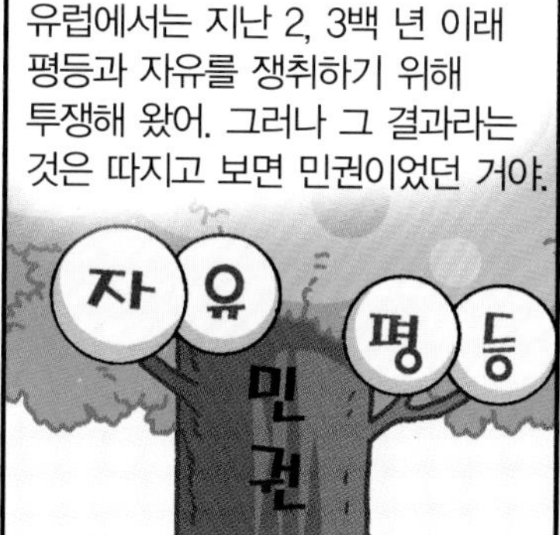
유럽에서는 지난 2, 3백 년 이래 평등과 자유를 쟁취하기 위해 투쟁해 왔어. 그러나 그 결과라는 것은 따지고 보면 민권이었던 거야.
자유
평등
민권

왜냐하면 민권이 있어야 자유와 평등도 존재할 수 있는 것이지 민권이 없다면 자유와 평등도 공허한 말에 지나지 않기 때문이지.

민권은 최근에 생겨난 것이 아니라 매우 오래된 것이야.
민권

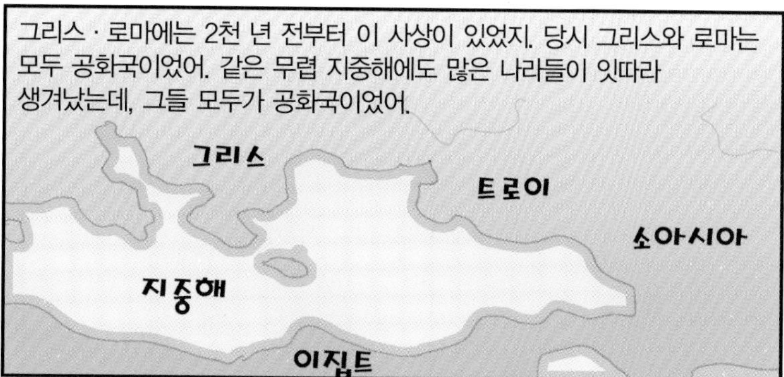
그리스 · 로마에는 2천 년 전부터 이 사상이 있었지. 당시 그리스와 로마는 모두 공화국이었어. 같은 무렵 지중해에도 많은 나라들이 잇따라 생겨났는데, 그들 모두가 공화국이었어.
그리스
트로이
소아시아
지중해
이집트

하지만 그들은 평등과 자유를 실현하지는 못했어. 왜냐하면 그 시대에는 민권이 실행되지 않았기 때문이야.
제 차례가 아직 아닌가요?
민권

예를 들면 그리스에는 노예제도가 있어 모든 귀족들은 많은 노예를 가지고 있었지.

전국 인민의 3분의 2 가량이 노예였어. 스파르타에서는 무인 한 명이 다섯 명의 노예를 거느릴 수 있도록 했어.

그리스에서 민권을 가진 사람은 매우 적었으며, 민권이 없는 자가 대다수였지. 로마도 비슷한 상태였어.

2천 년 전의 그리스 · 로마의 간판은 공화국이었으나,

노예제도의 존속 때문에 평등과 자유가 실현되지 못했던 거야.

그것이 지금부터 60년 전 미국이 흑인 노예를 해방하고

노예제도를 타파하여 인류의 평등을 실행한 뒤로,

지금의 공화국 가운데 비로소 참된 평등과 자유의 희망이 생겨난 거야.

그러나 참된 자유와 평등은 어떠한 곳에 근본을 두어야 할까? 어떤 기반 위에 세워져야 할까?

간단히 말하면 민권에 근본을 두어야 하며, 민권 위에 세워야 하지.

민권이 발전함으로써 언제까지나 평등과 자유가 존재할 수 있는 거야.

민권이 없다면 어떠한 평등도 자유도 지켜 낼 수 없어.

그러므로 중국 당이 일으키는 혁명의 목적은 평등과 자유를 쟁취하기 위한 것이지만,

내세우는 주의, 구호는 민권이라는 것을 사용해야 해.

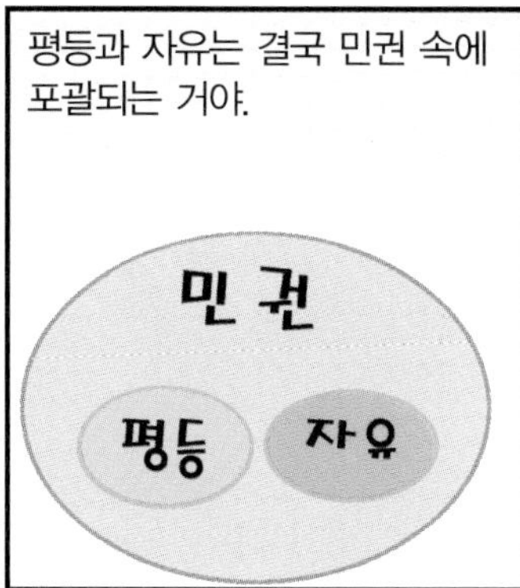

자본가로부터 심한 압박을 받고 있다는 사실도 전혀 깨닫지 못했어.

갈취

바로 미국의 흑인 노예들이 조상 대대로 노예였다는 것만 알 뿐,

할아버지 아버지가 노예였으니까 나도 당연히 노예지 뭐…

노예의 지위가 좋지 못한 것을 모르고, 노예의 지위 외에 자유와 평등이 있음을 몰랐던 것과 마찬가지야.

당시 각국의 노동자는 원래 자기들이 어떠한 지위에 놓여 있는지를 몰랐던 거야.

노동당이 귀족과 자본가에게 저항하는 데는 비협력을 가장 큰 무기로 삼지.

비협력의 행동이란 스트라이크라고도 하는데, 이 무기는 군인이 전투에 사용하는 무기보다 훨씬 무서워.

국가나 자본가에 대한 노동자의 요구가 관철되지 않으면 그들은 연합하고 일치단결하여 파업을 하지.

전국 인민에 대한 파업의 영향은 전쟁에 비교할 만해.

그리고 노동자 외에 지식 있고 정의로운 사람이 지도자로서

노동자를 인도하고 굳건히 단결하여 파업의 방법을 가르치지.

그래서 일단 파업이 일어나면 사회에 끼치는 영향은 매우 크지.

이 큰 힘이 생겨나면 노동자 자신도 그것을 느끼고 평등을 주장하게 돼.

지금 중국의 노동자가 평등을 주장하는 것은 평등의 폐단에 따른 것이야.

예를 들어 어떤 노동 신문에

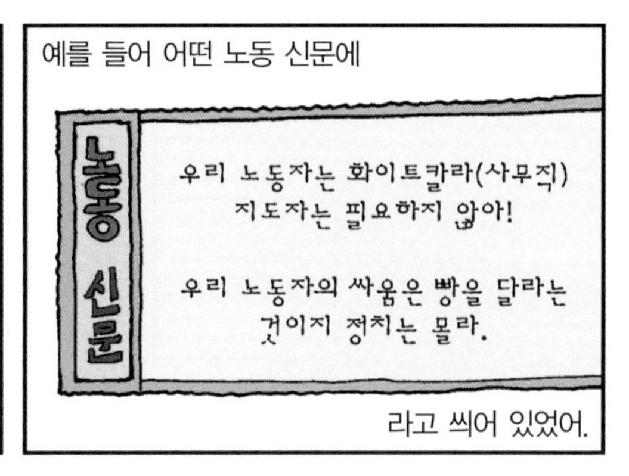


라고 씌어 있었어.

이 기사를 보면 유럽이나 미국의 노동당에서 노동자가 아닌 지도자를 배척하는 것과 똑같은 생각을 읽을 수 있었어.

외국의 노동자는 노동자 아닌 지도자를 배척했지만, 그들의 목표는 역시 정치를 묻는 일이었어.

한 나라 안에서 모든 인민의 행복은 모두 정치 문제에 달려 있어.

예를 들어 중국은 지금 외국의 정치적·경제적 압박을 받게 됨으로써 1년에 12억 원의 손실을 보고 있어.

이것은 중국의 정치가 나쁘기 때문에 경제가 발전할 수 없는 거야. 우리 중국 노동자가 받는 노동 임금이 전 세계에서 가장 싸지.

노동 임금이 가장 싼데다가 노동자가 근면하다면, 외국 공업과의 경쟁에서 당연히 승산이 있어야 해.

하지만 우리가 왜 1년에 12억 원의 손실을 입는 것일까?

가장 큰 원인은 중국의 정치가 나쁘기 때문이야. 우리 정부가 능력이 없기 때문이지.

정부가 능력만 있다면 그 손실을 막아 낼 수 있을 거야. 정부에게 힘이 있다면 관세를 늘리고,

그러면 외국 상품이 들어오기가 어려울 테니, 우리 국산품이 많이 팔릴 거라는 얘기지.

이렇게 되면 전국의 노동자들은 매년 12억 원의 수입이 늘어난다는 계산이 나오는 거야.

이러한 문제를 근본적으로 해결하기 위해 혁명을 실행하여 전제를 뒤엎고 민권을 주장함으로써 인간 세상의 불평등을 평등하게 해야 하는 거야.

# 흑인 노예 다르게 보기

흑인 노예들의 삶은 어떠했을까요? 이 글에서 나온 것처럼 백인에 의해서 해방되었을 때 이들을 원망할 정도로 무지한 상태였을까요? 물론 경제적·정치적으로 백인에 비해 지위가 낮았던 것은 부인할 수 없는 사실이지만, 흑인 노예에 대한 역사적 진술은 어쩌면 선진국 중심의 사관史觀에 의해 쓰여진 것은 아닐까요?

자급자족적인 무역을 했던 원시시대에서 근대로 바뀌어 가며 해외 무역에 눈을 돌리기 시작했고 그러면서, 물적·인적자원이 교류를 하게 됩니다. 그러다 보면 문화권에 따라 다양한 방식이 있고, 진보한 문명과 그렇지 못한 문명이 만나게 되죠. 그러다 보니 아프리카의 흑인 노예들은 서구 문명으로부터 약탈당할 수밖에 없었던 피해자로 그려지고 있는 건 아닐까 합니다.

하지만 이제 관점을 바꾸어, 아프리카가 나름의 자족적인 문화가 있었고, 노예제도 나름의 경제 체제에서 운용되고 있었던 탄력적 사회로 바라봐야 한다는 의견이 대두되고 있습니다. 즉 아프리카 문화가 유럽의 발전에 기여한 바를 강조하고, 또 아프리카가 노예무역 때문에 큰 고통을 당했다기보다는 그런 희생을 얼마든지 견딜 수 있을 정도로 탄탄한 사회였다는 점을 강조하기 시작했습니다. 우리는 알게 모르게 유럽중심주의를 따라 흑인 노예를 경시하거나, 의식적으로 약자 편에 서려는 입장에서 아프리카나 아메리카의 흑인들에게 호의적인 입장을 가지려 하고 있지만, 이 두 입장 모두 아프리카의 문명을 너무 업신여긴 것은 아닐까 하는 반성에서 나온 결과가 아닐까 합니다.

앞으로 몇 가지의 사례를 살펴보면서, 아프리카가 가지고 있던 자체 문명의 우수함을 인정하고 평가해 보았으면 합니다.

14~15세기 유럽에서 일어났던 르네상스는 고전 연구를 통하여 학문과 예술이 크게 발전한 현상을 말합니다. 그런 문예부흥이 과연 유럽에서만 일어났고, 아프리카에서는 없었을까요? 그 당시 세계 최대의 대학大學이 모여 있었던 도시를 들면 가장 유력한 후보 중 하나가 아프리카의 팀북투(Timbuktu)입니다. 이곳에는 180여 개의 신학교가 있었고, 여기에서 문법, 수사학, 논리학, 신학, 법학 등을 가르쳤습니다. 이 도시의 인구 5만 명 중 절반이 아프리카 전역에서 모여든 교수나 학생들이었다고 하니, 당시 유럽의 인구가 5만 명이 넘는 도시는 몇 개 되지 않았다는 것을 비교해 볼 때, 교수와 학생 수만 2~3만 명에 달한다면 그 도시는 실로 대단한 학식과 교양이 있었을 것이라고 짐작할 수 있습니다. 하지만 이 대학 도시는 북쪽 모로코인들의 침략을 받아 멸망했고, 많은 학자들이 끌려가는 비운을 맞았습니다. 그 가운데 한 사람인 학자 바바라는 팀북투에 대해 '정치적으로 자유롭고 도덕적으로 순수한 곳으로서, 외국인에 대한 배려와 동정을 느낄 수 있으며, 학자와 학생들에 대한 존경심이 있었다.' 고 회고했다고 합니다. 이런 점을 보면 아프리카 전체를 두고 벌거벗은 야만인들이 미개한 방식으로 살아갔으리라는 것은 우리들의 선입견이라고 할 수 있습니다.

경제적인 면을 살펴보면, 우리는 보통 아프리카는 매우 원시적인 경제 상태이며,

유럽의 문명을 접촉했을 때 무조건 압도되었을 것이라고 추측합니다. 하지만 이러한 생각은 대개 맞지 않거나 지나치게 과장되었을 수 있습니다. 아프리카의 경제가 유럽에 의해서 폭락할 정도로 허약하지도 않았고, 유럽의 영향력이 강하게 미치지 못했다는 의견이 있기 때문입니다. 아프리카 경제는 일반적으로 믿는 것보다 더 다양하고 생산적이었습니다. 아프리카 안에서 충분히 자급자족할 수 있는 생산이 유지되었고, 수입품은 일부 사치품에 한정되어 있었습니다. 아프리카에서 가장 많이 수입하는 물품은 직물이었는데, 그것도 아프리카의 직물 공업이 발달하지 못해서가 아니고, 아프리카의 부족 지도자들이 여러 종류의 옷감을 소유하는 것으로 위신을 내세우는 풍토 때문이었죠. 즉 아프리카 특유의 문화적 특성 때문에 유럽 등지에서 직물을 원했던 것인데 그것을 단순히 산업 부진으로 이해하는 것은 옳지 않은 생각입니다.

이전 주장들에 따르면 유럽인들이 총을 가지고 와, 아프리카 노예들에게 무력을 이용하여 노예로 팔려 나가게 했다는 얘기가 있는데, 이것도 짚고 넘어갈 필요가 있습니다. 백인들은 기껏해야 일부 해안 지역에서만 들어올 수 있었는데, 이곳에서 그들이 한 일은 다만 내륙 지방에서 보내오는 노예를 사들이는 일이었습니다. 그러므로 노예를 외국에 파느냐 안 파느냐 하는 것은 전적으로 아프리카 자체의 결정이었죠. 요즘 해석에 따르면 노예무역은 유럽인들의 강제로 했다기보다는 전적으로 아프리카인들의 자발적인 행위였다는 겁니다. 즉 유럽인의 강제력이 그다지 크지 않았다는 말이죠.

아프리카에서 노예제와 노예무역은 언제나 있었고 노예획득, 노예판매 등은 아프리카 국가들과 현지 엘리트들이 통제하고 있었습니다. 다시 말해 아프리카 사회는 스스로 감당할 수 있을 정도의 노예판매를 했습니다. 이처럼 아프리카의 노예는 다른 나라와는 달라, 아프리카 고유의 문화가 있는데도 이것을 외국의 시각으로 보려고 하면 이상해지게 되는 것입니다. 예를 들어 우리나라 조선시대 때에도 노비奴婢들이 있었는데 어떤 미국 학자는 이것을 두고, 우리나라가 노예제 사회였다고 했다고 합니다. 과연 우리나라의 노비제가 서양에서 바라보는 노예제와 같은 것이었을까요?

이렇게 보면 흑인 노예를 바라보는 시선이 조금 달라지지 않나요? 흑인 노예들이 극도의 고통을 겪었다는 점이야 두말 할 나위 없지만, 흑인 노예들이 아무 자각 능력이나 문화 없이 시키면 시키는 대로 하는 의미 없는 존재라는 생각은 옳지 않습니다. 아프리카의 흑인 노예들이 그들 본래의 정신적·물질적 문화를 바탕으로 새로운 유럽 문화에 일정 부분 기여했다는 점을 잊지 말아야 합니다.

이제 마지막으로 '민생(民生)'에 대해서 말하려고 해. 민생이란 무슨 뜻일까?

우리가 많이 사용하는 말이지만 그 중요성을 아는 사람은 많지 않은 것 같아.

'민생'이란 '인민의 생활, 사회의 생존, 국민의 생계, 대중의 생명'과 같은 뜻이라고 할 수 있어.

'민생'이라는 두 글자를 사용하여 다른 나라에서 최근 100년 동안 발생한 최대의 문제를 이야기해 볼게.

단어를 풀어 보면 백성 '민(民)' 자에 생활 '생(生)' 자를 쓰는 것이니 아주 깊은 뜻이 있어.

다른 나라에서는 이걸 해결하기 위해 '공산주의'나 '사회주의' 사상을 주장하기도 했으니, 잘 구별해서 이해해야 해.

민생 문제는 지금 세계에서 가장 중요한 문제로 다루어지고 있어.

하지만 이 문제가 대두되기 시작한 것은 기껏해야 100여 년밖에 안 되었어.

지난 수십 년 이래 과학 문명이 발전하여

공업이 크게 성장하면서 생산력이 갑자기 증대했기 때문에 민생 문제가 생겨난 것이야.

어떤 이유로 문명 발달이 민생 문제를 일으키는지 잘 모르겠지? 구체적으로 말해 볼게.

기계가 발명됨에 따라 세계의 문명 선진국은 점차

사람의 힘으로 하던 일을 자연의 힘으로 할 수 있게 되었어.

여기서 '자연의 힘'이란 증기나 화력, 수력, 전력 등을 이용한다는 거지.

인간의 손발 대신 쇠붙이인 구리나 쇠를 사용하게 되었으니, 인간의 노동은 점점 줄어들 수밖에 없었지.

또 기계가 발명되고부터는 한 사람이 여러 기계를 관리할 수 있게 되고,

기계는 몇백 명분, 혹은 몇천 명분의 일을 할 수 있게 된 거야.

기계와 인간의 생산력에는 엄청난 차이가 있잖아?

가장 흔히 볼 수 있는 짐꾼(쿨리)*을 예로 들어 생각해 보자. 쿨리는 이곳 노동자의 대부분을 차지하고 있어.

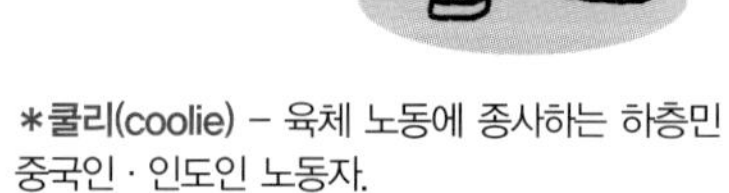
*쿨리(coolie) – 육체 노동에 종사하는 하층민 중국인 · 인도인 노동자.

그런데 운반 기계와 비교하면 어떨까? 기차를 예로 들어 볼까?

빠아앙

한 차량당 60킬로그램의 화물을 수송하는데, 그것을 20여 개 연결할 수 있지. 그렇다면 천 킬로그램이 넘는 화물을 기관차를 조정하는 한두 사람만 있으면 하루에 몇 백 리도 갈 수 있는 거야.

칙칙 폭폭.

기계 발명 이후 세계의 생산력은 큰 변동이 일어났고, 이 대 변동으로 기계가 인간의 일을 빼앗고

기계를 가진 사람은 기계가 없는 사람의 돈을 고스란히 벌어들이는 결과를 낳았어.

많은 사람들이 한꺼번에 실업자가 되어 일도, 밥도 없어지게 된 거야.

이러한 대 변동을 외국에서는 '산업 혁명' 이라고 불러.

이러한 산업 혁명으로 생겨난 것이 최근 수십 년 이래 사회 문제가 되고 있지.

기계를 가진 자, 돈을 가진 자들은 계속 부를 축적하게 되고,

부가 없는 자, 즉 자본을 가지지 못한 자는 계속 벗어날 수 없는 빈곤의 늪에 빠지게 되는 거야.

빈곤

그러한 문제가 사회의 가장 큰 골칫거리가 되었던 거지.

그래서 이론가들은 '사회주의' 라고 하는, 개인 소유의 재산을 공유화하여

못 사는 사람과 잘 사는 사람 구분 없이 다 같이 잘 살 수 있는 사회건설을 이상으로 하는 주장을 전개하기 시작했어.

사회주의

공동분배

인민들이 다 같이 잘 살고, 그래서 사회도 잘 살 수 있도록 실현하자는 것이었지.

하지만 나는 '사회주의' 가 아니라 우리 중국에서 오랜 옛날부터 사용하는 '민생주의' 란 용어를 써야 한다고 생각해.

민생주의

그건 왜일까? 여기에는 중요한 이유가 있어.
사회주의

선진 외국에서는 기계가 발명된 후 산업 혁명을 거치는 동안 생겨난 사회 문제를 해결하기 위해

'사회주의'가 발생하였지. 사회주의는 발생한 지 몇 십 년 되었어.
사회주의

그러나 미국과 유럽 각국은 '사회주의'에 대해 해결 방법을 찾아내지 못한 채
사회주의

아직까지도 격렬한 언쟁을 벌이고 있어.

그러다가 이 학설과 사상은 중국으로 유입되어 중국의 일반적인 학자들도 다 연구하고 있지.
유럽
사회주의

사회주의 중에는 공산주의라 일컫는 것도 포함되어 있어.
사회주의
공산주의

지금 중국에서는 사회주의와 공산주의가 유행하고 있지.
사회...
공산...

중국 학자들이 사회주의와 공산주의를 연구하여 해결 방법을 찾아 내려 하지만 참 어려운 일이야.
어렵다….
사회주의

'사회주의'를 연구할 때는 유래, 성격, 정의를 분명히 할 필요가 있어.
사회주의
유 래

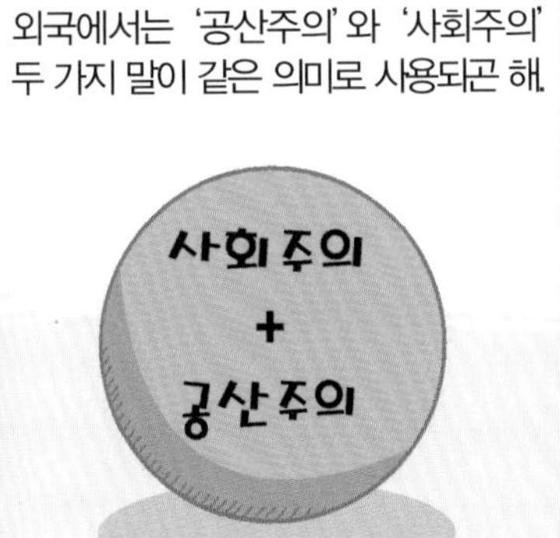
외국에서는 '공산주의'와 '사회주의' 두 가지 말이 같은 의미로 사용되곤 해.
사회주의
+
공산주의

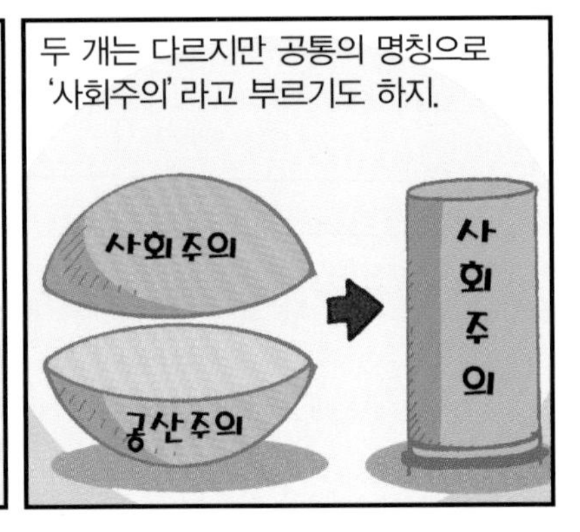
두 개는 다르지만 공통의 명칭으로 '사회주의'라고 부르기도 하지.
사회주의
공산주의
사회주의

지금 중국에서는 사회주의와 사회학이라는 말을 같은 것으로 생각하는 사람이 있는데,

이는 진짜 뒤죽박죽 혼동하고 있는 거야.

이것은 중국뿐 아니라 외국에서도 마찬가지야.

서로 다른 건가요?

사회학

그 까닭은 사회라는 말은 영어로 '소사이어티(Society)', 사회학은 '소셜로지(Socialogy)', 사회주의는 '소셜리즘(Socialism)'으로 세 단어의 철자가 비슷하기 때문이야.

소사이어티(society)
소셜로지(socialogy)
사회주의(socialism)

원래 '소셜리즘(사회주의)'은 그리스어로 '동지'라는 말에서 나온 거야.

그러니까 내가 '민생주의'라는 말로 '사회주의'라는 말을 대체한 원래의 의도는

민생주의
(사회주의)

근본을 철저히 연구하여 모든 사람들이 이 말을 듣고

곧 이해할 수 있는 것으로 바꾸어 주기 위해서지.

제1차 세계 대전 뒤에는 사회주의에 대한 기대가 커져 마치 시대의 흐름인 것처럼 모두가 사회주의를 말하고 있어.

이런 시기에 '사회당'으로서는 참으로 많은 일을 할 수 있고,

사회 문제를 완전히 해결할 수 있는 좋은 기회를 얻은 거였지.

하지만 사회당 내부에서는 온갖 분쟁이 끊이지 않고 파벌이 나뉘어 서로 싸우고 있어.

복잡하게 나뉜 수십 개의 파벌 중에서도 특히 유명한 것이 이른바 공산당, 국가사회당, 사회민주당이야.

세계 각국에는 사회주의에 찬성하는 사람과 반대하는 사람의 두 종류밖에 없었어.

찬성
반대

반대하는 사람의 대부분은 자본가였고, 따라서 자본가와만 싸우면 되었던 거야.

하지만 사회당 내부의 분쟁은 예전에 반대파와 찬성파가 싸웠을 때보다 훨씬 더 격렬했어.

그 때문에 아직까지도 사회 문제를 해결하지 못한 거야.

사회는 혼란이 계속되었고, 아직까지도 해결을 위한 좋은 방법을 찾아 내지 못한 것이지.

그러니 오늘날 중국의 문제를 해결하기 위해서는 사회주의를 내세울 것이 아니라,

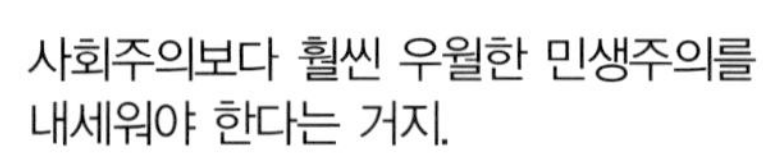
사회주의보다 훨씬 우월한 민생주의를 내세워야 한다는 거지.

내가 이야기하는 민생주의는 사회주의와 어떻게 다를까?

한번 생각해 봐. 사회주의가 왜 등장했는가를.

기계가 발명된 뒤 일자리를 빼앗긴 노동자들이 생계를 유지할 수 없으니, 자본가의 재산을 환수하여 모든 사람들에게 골고루 나누어 주려고 사회주의가 생긴 거잖아?

재산국유화
분
배

결국 사회주의는 사회 경제의 문제고, 곧 인민의 생활 문제인 거야.

그의 이론은 사회주의에 바탕을 둔 것들이었어.
그가 저술한 책과 학설은

수천 년 이래 인류 사상의 결정이라고 할 만하지. 그래서 그의 학설이 나오자 세상은 모두 이를 좇았고, 각국의 학자들은 하나같이 그를 신봉하고 추종했어.

역사에서 가장 중요한 것은 '물질'이고, 이것을 중심으로 역사는 움직인다는 거야.

인류의 문명사는 물질적 환경의 변천사에 불과하다는 거야.

이러한 마르크스의 이론은 천문학에 있어서 뉴턴의 만유인력과 견줄 만하지.
대단하군.
유물론

마르크스가 물질이 역사의 중심임을 주장하자,
물질
역 사

많은 사람들이 마르크스의 학설을 더욱 자세히 연구하고 그를 믿고 따르게 된 거야.
엥겔스
카우츠키
레닌

뿐만 아니라 제1차 세계 대전이 일어난 뒤
노동자에게...

러시아 혁명당은 이 마르크스주의를 실행에 옮기려 했지.
마르크스
주의
혁명당

하지만 마르크스주의를 실행에 옮기면서 여러 가지 모순점들이 발견되기 시작했어.
모
순

이론적으로도 여러 갈래로 나뉘어 서로를 공격하고 매도하며 비난하기에 바빴지.
계
파
갈
등

이쪽의 사회당과 저쪽의 사회당이 서로를 공격하고 비난할 수밖에 없었던 것은
반동
부르
주아

마르크스 학설의 내부에 있던 문제가 돌출된 것이라고 볼 수 있지.
문
제

그럼 마르크스의 예상이 어떻게 빗나갔는지 한번 알아볼까?
마르크스주의

마르크스는 공업 생산에 의해
경제적 이익이 많아지면
$

노동자 계급과 자본가 계급이
대립하고 충돌할 것이라 했고,
소득분배

그러한 계급 전쟁에 의해 자본가
계급이 소멸할 것이라고 했어.
자본 계급
계급투쟁

계급 전쟁에 의해 노예가 사라졌듯이,
산업 혁명의 산물로 계급 전쟁이
일어나고,
노동자
자본가

그 이후에는 자본가와 노동자가
구별되지 않는 사회주의 국가 건설이
역사의 흐름이라고 말했지.

하지만 현실에서는 어떨까?

노동자와 자본가가 대립하며 충돌하기보다는
서로 타협하고 공존하는 방식으로
산업 발전을 이루고 있지.
노동 환경
개선
생산
증대

두 계급은 소멸한 게 아니라
오히려 점점 그 지위를 확고하게
유지하고 있는 게 현실이야.
월급
감사

자본가에게 절대 대항할 수
없다던 노동자들은
'1일 8시간'이라는 최적의
노동 시간을 요구하며
단체 행동을 하고 있고,
근로 시간
준수

노동자들을 억압하기만 하던 자본가들은
그들의 요구를 수용하며 노동 환경을
쾌적하게 조성해 주고 있어.
에어컨
어~후
시원해
윙

그래서 자본가와 노동자가 망하는
게 아니라 더욱 많은 경제적 이익을
거두고 있는 게 현실이야.
경제 이익

두 계급의 타협은 있을 수
없다던 마르크스의 논리가
깨지는 순간인 거야.
마르크스
논리

그렇게 얻은 경제적 이익은 두 계급의 적대 관계를 극대화한 게 아니라, 서로 우호적인 관계로 나아가도록 만들었어.

자본가들은 노동자의 노동력을 갈취하고 억압하는 대상이 아니라,

노동 조건의 개선, 위생 상태의 정비, 양로비와 치료비, 보험금 등을 책임지고 실행하는 존재가 되고 있지.

그리고 국가는 자본가들이 이러한 역할을 할 수 있도록 각종 규정을 만들어 그들을 규제하고 제재를 하고 있는 거란다.

결국 자본가들 스스로도 노동 조건을 개선시키기 위해 지속적으로 재투자하고 있는데,

그렇게 하지 않으면 노동자의 능률을 최대로 끌어올릴 수 없다는 것을 깨닫게 된 거야.

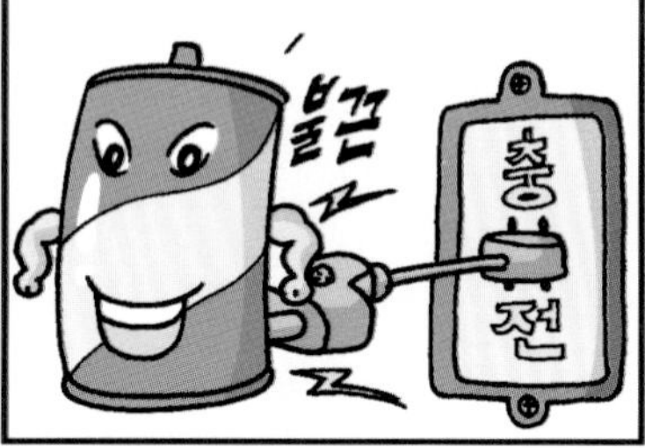


결국 마르크스가 전혀 생각지도 못했던 일들이 현실에서 벌어지고 있는 거야. 그의 예상은 거의 빗나갔어.

마르크스는 많은 연구를 통해 지나간 역사에 대해서는 이론을 세웠을지 몰라도,

그 뒤의 사실들에 대해서는 큰 오류를 범하게 된 셈이야.

마르크스의 가장 큰 오류는 역사의 중심을 '물질'로 보았다는 데 있어.

우주의 중심은 '태양'이라는 뉴턴의 증명은 진실이지만,

마르크스가 주장한 '역사의 중심이 물질'이라는 학설은 과연 진실일까?

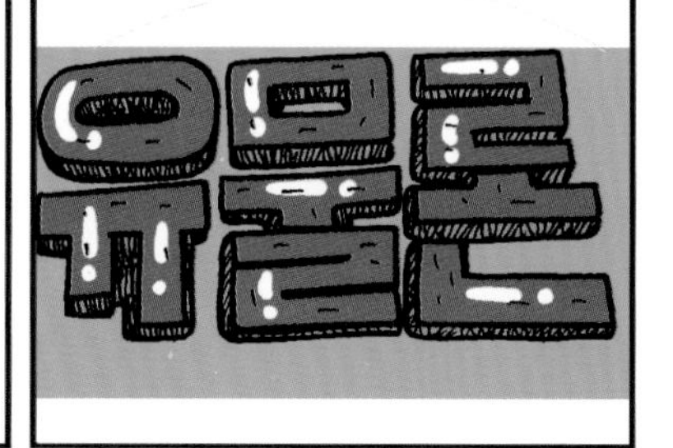

제1차 세계 대전 뒤 몇 년 동안의 시험을 거치며 나온 결론은 옳지 않다는 거였어. 그렇다면 결국 역사의 중심은 무엇일까?

마르크스주의 연구자 중에 미국의 윌리엄이라는 학자는

마르크스가 말한 '물질이 역사의 중심'이라는 것을 정면으로 반박했어.

그의 이론을 빌려 말하자면, 역사의 중심은 다름 아닌 '사회 문제'라는 거야. 그리고 이 사회 문제는 '생존'이 중심을 이룬다고 말한 바 있어.

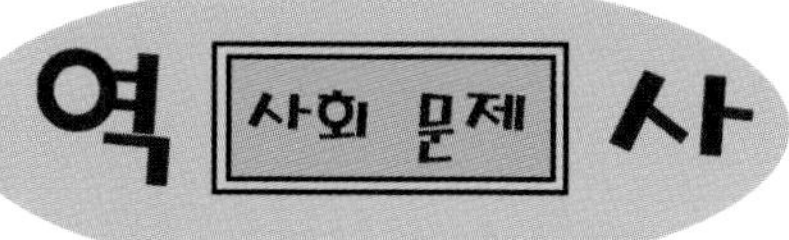


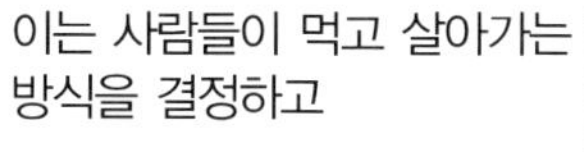

이는 사람들이 먹고 살아가는 방식을 결정하고

해결해 가면서 사회는 발전해 간다는 논리겠지?

이 미국학자의 최근 이론이 우리가 20년 동안 주창해 온 민생주의랑 딱 들어맞는다고 할 수 있지.

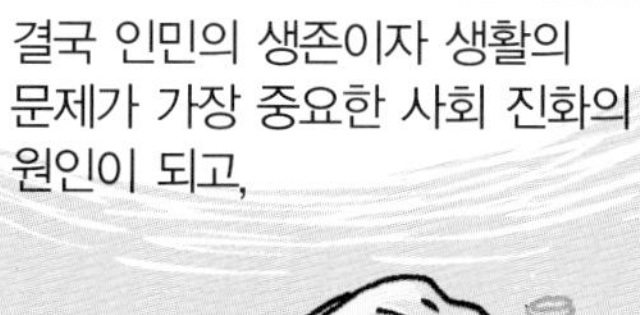

결국 인민의 생존이자 생활의 문제가 가장 중요한 사회 진화의 원인이 되고,

이러한 사회의 진화가 모여 역사를 만들어 내는 것이지. '민생'이 사회 진화의 중심이고, 이것이 역사를 만드는 거야.

역사의 중심은 사회나 공산이라는 말보다는 민생이라는 말이 훨씬 적당한 뜻을 담고 있다고 생각해.

민생이야말로 정치의 중심, 경제의 중심, 온갖 역사의 중심이라고 할 수 있지.

우리가 20년 넘도록 주장해 온 이 '민생주의'는 서양의 어떠한 학설보다도 사회 문제를 해결하는 데 커다란 힘을 발휘할 것이라고 믿어.

# 철도 노동자 쿨리의 생활

현대 문명이 여러 사람들에게 이로움을 주는 것은 분명하지만, 이를 가능하게 하기 위해서는 수많은 사람들의 희생이 있었다는 것을 잊어서는 안 됩니다. 과학 문명의 발달로 많은 기술이 발전했지만, 그것을 다른 사람들에게 이로움으로 바꾸어 주기 위해서는 노동자들의 육체노동이 결합해야만 합니다. 아무리 훌륭한 이론이라 하더라도 건설 인부의 피와 땀방울 없이는 우리에게 현실로 다가올 수 없기 때문이죠.

도로나 철도도 마찬가지로, 실생활에 많은 도움을 주는 교통수단의 정비는 현대 생활의 효율성을 위해서 꼭 필요한 것입니다. 걸어서 30일 가야 하는 거리를, 말이나 마차를 탄다면 20일 정도로 줄일 수 있지만, 자동차나 기차를 탄다면 하루 또는 몇 시간으로 줄일 수 있다는 것은 매우 놀랄 만한 일입니다.

그렇다면 우리는 노동자의 값진 노동에 대해서 얼마나 감사한 마음을 갖고 있을까요? 국내의 노동도 그 희생이 값지지만, 외국의 노동 현장으로 달려가야 하는 노동자의 삶에 대해서도 생각해 볼 필요가 있습니다. 미국에서도 도로나 철도를 건설할 때 많은 중국인 노동자 쿨리가 집단으로 동원되었다는 것은 여러 차례 이야기한 바입니다. 서양 문명이 발달하면서 저렴한 노동력을 제공받기 위해 인도나 중국 등의 값싼 노동력을 수입해 미국의 생활 여건을 발전시킨 겁니다.

밑에 소개하는 내용은 스타인벡(1902~1968)의 소설《에덴의 동쪽》에 나오는 주인공 아담과 중국인 하인 리 사이의 대화 가운데, 리의 이야기를 모은 것인데 소설 일부분에 잠깐씩 나오는 이야기지만 이들이 얼마나 비인간적인 처사에 시달렸는지 짐작할 수 있습니다. 우리나라도 지금 문명이 발달하고 선진국 대열에 들어가 값싼 노동력을 구하기 어려워지자, 동남아시아 등지에서 찾아온 외국인들을 우리나라 산업 현장에 투입하고 있습니다. 50년 전 우리 민족이 해외에서 겪었던 무시와 냉대를 잊지 말고, 외국인 노동자들에 대한 배려와 지원을 생각해 볼 때입니다. 소설이기 때문에 현실과는 거리가 있겠지만, 중국인 노동자의 삶을 잘 드러내고 있으니 읽어보길 권합니다.

"내 첫 기억은 감자밭 가운데 있는 작은 오두막에서 아버지와 둘이 살고 있었다는 것, 그리고 아버지가 언제나 돌아가신 어머니에 대한 이야기를 해 주셨던 거야. 먼저 말할 것은 미국 서부에 철도를 놓을 때 땅을 고르고, 치목을 놓고 레일을 까는 고된 일을 중국인들이 많이 했다는 거야. 중국인들은 노임이 싸고 열심히 일하는 데다가 혹시 죽더라도 걱정할 필요가 없기 때문이지. 이 사람들은 대개 광둥에서 모집해 왔는데 광둥인들은 체구가 작지만 힘이 세고 끈덕지면서 싸움을 좋아하지 않았거든. 철도 회사의 노무자 모집원은 계약을 맺고 그 자리에서 돈을 지불해 주었지. 그래서 빚더미에 앉은 많은 사람이 모일 수 있었대. 우리 아버지는 갓 결혼한 청년이었는데 아내를 깊이 사랑해 주었지만, 돈을 벌어야 한다는 생각에 미국으로 가는 배에 몸을 실었지. 남자들은 동물처럼 떼를 지어 컴컴한 배 밑바닥에 포개져 꼬박 6주를 항해한 끝에 샌프란시스코에 도착했지. 그런데 항해 도중 1주

일이 지나서야, 배 위에 몸을 실은 어머니를 발견했어. 어머니는 남자 옷차림에 변발까지 하고 있었던 거야. 얼굴도 마주치지 않고, 서로 말도 하지 않았기 때문에 다른 사람들에게 들키지 않았지만, 정말 깜짝 놀랄 일이었던 거지. 남자들만 모여서 막노동을 하는 열악한 상황에 혼자가 아니라는 위안은 있었지만, 남자들 사이에 한 명의 여자란 위험하기 짝이 없는 노릇이었던 거지. 두 사람은 5년 동안 중노동을 하도록 계약했었대. 그런데 어머니가 아버지에게 말하지 못한 사실은 바로, 어머니가 임신을 하고 있었다는 거지.

샌프란시스코에서는 살과 뼈만 가진 인간들이 홍수처럼 가축 마차에 실려 산 위로 올라갔어. 그러고는 시에라 산맥의 작은 언덕을 깎아 내고 터널을 파는 일을 해야 했어. 두 사람은 산 위의 캠프에 가서야 다시 만나게 되었지. 푸른 풀밭과 꽃들이 있고, 눈 덮인 산이 보이는 그곳은 정말로 아름다운 곳이었다는군. 그때서야 어머니는 뱃속의 아기 이야기를 했고, 아버지는 그게 얼마나 위험한 일인지 알았지만 어머니를 조카라고 소개하고는 늘 함께 일을 하며 돌봐 주었다는 거야.

여자의 근육도 남자처럼 단단하게 되는 법인가 봐. 아마 내 어머니는 정신력에도 근육을 가지고 있었을 거야. 임신한 여자의 몸으로 곡괭이질과 삽질을 해야 했는데 그건 정말 끔찍한 일이잖아? 그러다가 아버지가 한 계획을 세웠는데, 아기를 낳을 산달이 되면 깊은 산속의 목초지로 도망가서 호숫가에 굴을 파고, 그곳에서 아이를 몰래 낳은 다음, 아버지가 되돌아와 벌을 받는다는 거였어. 아내 몫까지 자신이 추가로 5년간 더 일해 준다는 각오를 했던 거지.

하지만 하늘의 재앙은 피할 수 없는 건가봐. 어느 날 큰 돌이 언덕에서 굴러 내려와 아버지의 다리를 부러뜨려 놓았어. 사람들은 뼈를 맞추고는 절름발이가 할 수 있는 일을 시켰어. 망가진 못을 바위 위에 놓고 망치로 펴는 일이었거든. 아내를 보호해야 한다는 생각 때문인지 고된 일에도 아버지는 거뜬하셨어. 하지만 어머니는 힘든 노동을 못 견디고 산달이 다가오기도 전에 산기가 일어났고, 주변 사람들은 여자를, 그러니깐 우리 엄마를 발견한 거지. 곁에 있던 남자들은 여자가 같은 캠프에 있다는 사실에 미쳐 버렸어. 광기 어린 허기는 죄를 짓게 만들고, 죄들은 쌓여 죄책감을 잊게 만드는 법이지. 여자를 몇 년 만에 처음 본 굶주린 사내들은 발정 난 동물처럼 미쳐 버렸어.

아버지는 캠프에서 '여자다!' 라는 고함 소리에 시끄러워진 것을 느끼고 그 이후에 벌어질 일들에 대해 모든 것을 알 수 있었어. 아버지는 허겁지겁 뛰어 내려 가다가 다리를 또 한 번 부러뜨려가며 울퉁불퉁한 비탈길을 기어올라 일이 일어나고 있던 곳으로 갔지. 아버지가 그곳에 도착했을 때는 이미 슬픔이 하늘을 뒤덮고 있었어. 광둥 사나이들은 인간이 어쩜 이렇게까지 할 수 있을까 하는 죄의식을 감추고, 죄를 잊기 위해 슬금슬금 모두 도망치고 있었어. 아버지는 어머니에게로 갔어. 어머니는 눈을 뜰 수도 없는 형편이었지만 그래도 입을 움직여 지시를 했대. 그러고는 아버지는 넝마처럼 된 어머니의 몸에서 손톱으로 나를 끄집어 낸 거야. 어머니는 그날 오후에 세상을 뜨셨지.

그들을 증오하기에 앞서 이것을 알아야 해. 아버지는 늘 마지막에 이렇게 말씀하셨어. 나처럼 보살핌을 받은 아이도 없을 거라고. 캠프 사람들은 모두 나의 어머니가 되었던 거야. 이것은 하나의 아름다움이야. 두려운 종류의 아름다움이지."

# 제10장 민생주의를 실현하는 방법

민생주의는 이미 우리 국민당의
강령 속에 확정되어 있어.

즉 국민당은 지권*의 평등과
자본의 절제만 따른다면

지권 평등

자본 절제

중국의 민생 문제는 해결된다고
생각해.

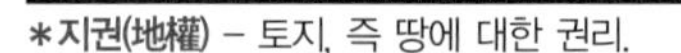
* 지권(地權) – 토지, 즉 땅에 대한 권리.

세계 각국은 사정과 자본의 발달
정도가 저마다 다르기 때문에,
민생 문제를 해결하는 방법도 다를
수밖에 없지.

중국 학자들은 중국의 민생
문제를 해결하는 데 있어

유럽식

최근 유럽과 미국에서 들여온
이론을 따라야 한다고 생각해.

유럽이나 미국의 사회당에서도 사회 문제를 해결하는 방법에 대해 의견이 분분하여 일치한 적이 없어.

마르크스의 방식대로 혁명적인 수단에 의하여 모든 정치 · 경제 문제를 해결해야 한다는 주장도 있고,

평화적인 방법으로 정치 운동과 타협으로 해결하자는 주장도 있지.

이 두 학파는 유럽, 미국 등지에서 줄곧 충돌하며 자기들의 주장을 내세우지.

혁명의 수단으로 정치 · 경제 문제를 해결한다는 방식은 러시아 혁명 때 이미 사용했지.

우리가 볼 때 그들의 혁명 수단은 정치 문제를 해결한 데에 불과하다고 봐.

항복!

지금 유럽과 미국의 상공업은 눈부시게 진보했고 자본도 많이 발달했으나

경제 문제 해결에는 아직 성공했다고 볼 수 없어.

자본가의 압박은 극에 달하여 일반 인민들은 참기 힘든 생활을 하고 있지.

사회당은 민중의 이러한 고통을 없애고 사회 문제를 해결하려고 해.

평화적 방식과 과격한 방식 중 어느 쪽을 택하든 자본가와는 반대되는 입장이지.

결국 유럽과 미국에서는 앞으로 사회 문제를 해결하는 데 있어 어떤 방법으로 할지 아직 예상조차 못하고 있어.

평화적 수단으로 사회를 개량하는 것이 좋지만 자본가의 반대 때문에 현실적으로 불가능하다고 생각하는 거야.

그래서 많은 사람들이 점차 과격한 방식에 찬성하고,

혁명적 수단이 아니면 도저히 사회 문제를 해결할 수 없다고 생각하는 것 같아.

아무래도 중국 실정에 맞는 민생 문제 해결 방식은 '공산주의' 방식과 유사해야 할 것 같아.

'공산' 이라는 제도는 요즘 들어 나온 말이 아니라 원시시대 때부터 이미 해 오던 거지.

'공산' 이란 무엇일까? 함께 할 공(共) 자에, 만들어 낼 산(產) 자를 썼으니,

생산물을 같이 만들어 내고 함께 나누어 갖는다는 뜻이겠지?

그럼 옛날의 공산 방식이 언제쯤 타파되었을까?



나는 돈(화폐)을 사용하면서부터라고 생각해.

물물 교환을 할 필요 없이 모두가 돈을 가지고 자유로이 매매할 수 있게 되면서,

즉 교역이 매매로 바뀐 그때 공산제도는 소멸되기 시작한 거야.



돈으로 자유로이 매매할 수 있게 되자 큰 상인이 생겨나게 되었어.

그리하여 가난한 사람과 부유한 사람이라는 극단의 두 계급을 낳았어.

우리 국민당이 주창하는 민생주의는 이런 이상뿐 아니라 사회의 원동력이며 모든 역사 활동의 중심이야.

민생주의

국민당

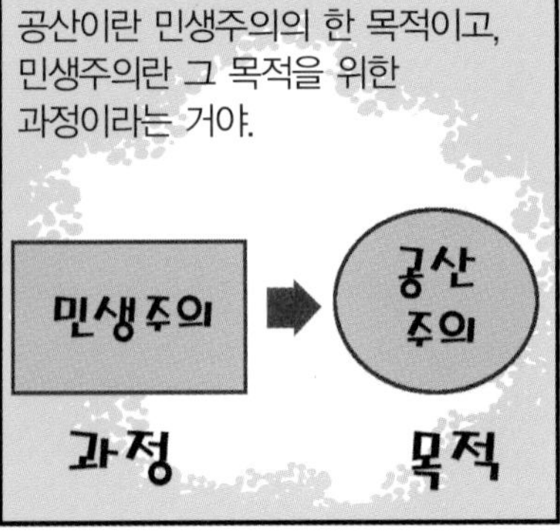


따라서 두 개의 주의에는 큰 차이가 없지. 단, 방법에 관해서만 구별하면 돼.

중국이 차지하는 지위를 지키고, 처한 시기를 생각할 때 어떠한 방법을 써야 민생 문제를 해결할 수 있을까?
민생 문제

그 방법이란 심원한 이상도, 멀기만 한 학문도 아니며 사실에 의거해야만 해.
이상

그러면 중국에서 가장 중요한 현실이란 무엇일까?
학문
현실

그건 모두가 받고 있는 빈곤의 고통이야. 중국인은 모두가 가난하지.
중국

부유한 특수 계급이 없고, 일반적으로 가난하다고 할 수 있어.

중국인의 '빈부 불균형'이란 것도 가난한 계급 속에서의
저 친구나 나나..

크게 가난한 자(대빈, 大貧)와 조금 가난한 자(소빈, 小貧)의 구별에 지나지 않거든.
대빈
소빈

실제 중국의 가장 큰 자본가를 외국 자본가와 비교해 보면 극히 소빈하다고 할 수 있지.
부자래 킥킥

그 밖의 가난뱅이는 모두 대빈이라 해도 좋아.
왱~
모두가 가난하구나...

중국의 대자본가가 세계에서는 가난뱅이에 지나지 않는 이상 중국인은 모두 가난하며 대부(大富)는 없고, 고작 대빈과 소빈의 차이밖에 없어.
왜앵~
중국

중국이 이 차이를 균등하게 하여 모든 대빈을 없애려면 어떻게 해야 할까?

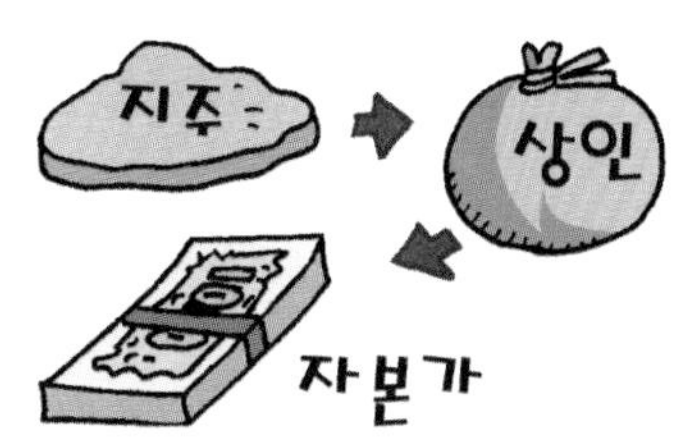
사회와 자본이 발달하는 순서를 보면 처음에 지주부터 시작해 상인에 이르고, 상인에서 자본가에 이르는 것이야.
지주
상인
자본가

지주는 봉건제도에서
발생했는데,

중국에서는 진나라 시대 이후
봉건제도가 타파되었지.

봉건시대에는 토지를 가진 사람은
부자였고, 토지가 없는 사람은
빈민이었어.

중국은 봉건제도에서 벗어난
지 2천 년이 지났지만

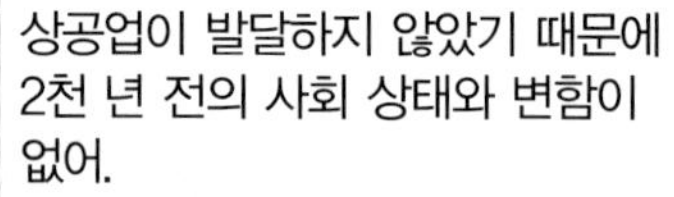

상공업이 발달하지 않았기 때문에
2천 년 전의 사회 상태와 변함이
없어.

오늘날 중국에 대지주는 없지만 작은
땅을 가진 소지주는 있지. 소지주 시대에서
대다수 지방은 평온하고, 지주들과
시비를 붙어 논쟁하는 자도 없었어.

그런데 요즘 유럽 · 미국의 경제 조류가
하루하루 침입해 들어와 각종 제도가
변동을 일으키고 있는데,

가장 큰 영향을 받은 것이
토지 문제야.

예컨대 광저우시의 20년 전 땅값과
지금의 땅값은 얼마나 차이가 날까?
상하이(상해)의 땅값을 80년 전과
비교해 보면 어떨까?

대략 1만 배 정도의 차이가 나.
즉 옛날에 1원이면 샀던 땅을
지금은 1만 원이 있어야 산다는
거지.

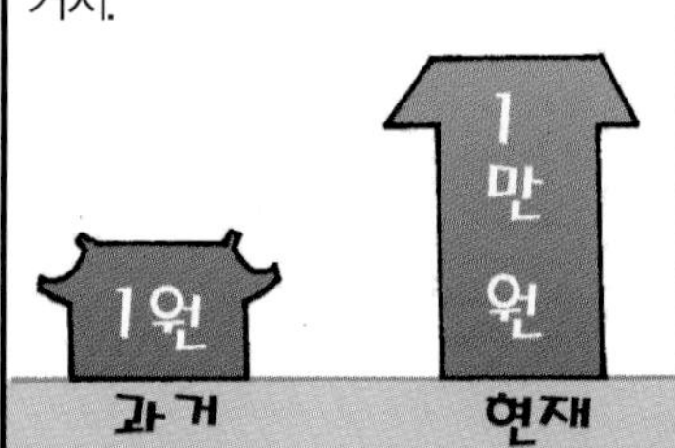


즉 중국의 토지는 유럽과 미국의
영향을 받아 지주가 벼락부자가
되면서 유럽이나 미국의 자본가처럼
되었어.

경제 발달로 인해 영향 받은
땅값의 이러한 변동은 비단
중국에만 해당되는 것이 아니야.
옛날 각국에도 이러한 현상이
있었어.

다만 각국에서는 처음 한동안 그다지 주의를 기울이지 않고 내버려 두었을 뿐이지.

그러다가 나중에 변동이 점점 더 커지자 비로소 관심을 가졌어.

그러나 이른바 '쌓이고 쌓이면 때는 늦는다.' 라는 말처럼 이제는 쉽게 고칠 수 없는 상태가 되었지.

그러나 우리는 중국의 땅값이 문제가 되는 것을 미리 방지하기 위한 방법을 찾아내려고 연구하고 있어.

유럽 사회주의 책에 있는 토지 문제에 대한 재미있는 이야기를 하나 소개해 볼게.

오스트레일리아 어떤 지방에 아직 시장이 형성되기 전이라 매우 저렴한 땅이 있었어.

한번은 정부가 토지를 경매에 부쳤어. 이 토지는 황폐하여

쓰레기장 외에는 아무 쓸모가 없었기에 누구도 비싼 돈을 주고 사려는 사람이 없었지.

그때 갑자기 술주정뱅이가 경매장에 뛰어들어 왔어. 그때 경매 담당자가 때마침 값을 부르고 있었고,

200원으로 경쟁하다가 250원까지 올랐대. 그 이상 비싼 값을 부르는 자가 없었지.

'300원까지 낼 사람 없는가?' 라고 경매인이 물으니, 그 주정뱅이는 인사불성의 상태에서 '사겠다.' 라고 대답했어.

그가 값을 부르자 경매인은 그의 이름으로 토지를 등록했지.

토지가 팔리자 사람들은 흩어졌고 그도 돌아갔지.

다음 날 경매인은 계산서를 가지고 그를 찾아가 토지 대금을 지급하라고 했어.

그는 취중의 일을 기억하지 못했기 때문에 그 거래를 인정하지 않았어.

몹시 후회스러웠지만, 정부 기록에 의한 거래를 흐지부지해 버릴 수도 없는 일이라

이리저리 변통하고 전 재산을 털어 간신히 300원을 마련해 경매인에게 건네 주었지.

그러고는 그 땅을 오랫동안 방치해 두었지.

10년 뒤 그 토지 주위에는 훌륭한 건축들이 들어서고

땅값은 천정부지로 뛰어올랐어.

그 토지를 수백만 원에 사겠다는 사람도 있었지만 그는 팔지 않았지.

대신 토지를 분할하여 사람들에게 빌려 주고 임대료를 받을 뿐이었어.

그 뒤 토지는 수천만 원까지 올라 이 주정뱅이는 오스트레일리아 제일의 부호가 되었지.

이 수천만 원은 대체 누구의 것일까? 내가 볼 때 이것은 분명 다른 사람의 것이야.

사회의 다른 사람들이 그 지방을 상공업의 중심지로 개량했기 때문에 그 지방 땅값이 계속 올랐던 거야.

이 사례처럼 바로 우리가 상하이를 상공업의 중심지로 만들려고 하기 때문에

상하이의 땅값이 몇만 배 비싸진 거지.

만약 상하이 사람들을 완전히 다른 곳으로 옮기거나 천재지변이 일어나거나 하여 사람들이 모두 없어진다면

과연 그때도 상하이의 땅값이 지금처럼 비쌀 수 있을까?

토지 가격의 상승은 많은 사람들의 공로와 힘에 의한 것일 뿐 지주는 땅값의 등락에는 아무런 공이 없는 거야.

그러므로 외국 학자는 땅값이 상승하여 지주가 얻는 이익을 가리켜 '불로소득(不勞所得)*'이라고 말해.

상공업자들이 정신적 · 육체적 수고로 싼 것을 사서 비싸게 팔고,

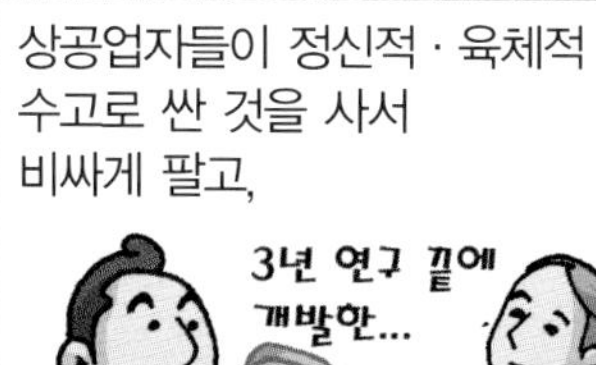

많은 계획과 경영상의 많은 고심 끝에 겨우 이익을 얻는 것과는 큰 차이가 있는 거지.

*불로소득 – 직접 일을 하지 않고 얻는 수익.

상공업자는 물질의 가치를 독점하여 돈을 벌고 있기 때문에 흔히 불공평하다고 생각하지.

그러나 그들은 정신적 · 육체적 수고를 한 거야.

하지만 지주는 가만히 앉아서 힘들이지 않고도 막대한 이익을 손에 넣을 수 있지.

그래서 많은 사람들이 토지를 투기 대상으로 간주하고 있어. 속된 말로 '땅을 알 품듯이 한다.'고 할 정도야.

그러니까 한푼의 가치도 없는 많은 땅들이 10년, 20년 뒤에는 비싸진다는 것이지.

거기다가 투기꾼들이 그 속에서 여러 가지를 조종하고 앞날을 예측해 땅값을 올리기 때문에



땅값의 오름세는 더욱더 불균등해진다는 거야.

토지 문제에서 발생하는 폐해에 대해서는 유럽이나 미국도 아직 완전한 해결 방법을 찾지 못했어.

중국도 이 문제를 해결하기 위해서 어떤 대책을 강구해야만 해.

상공업이 발달하면 더욱더 해결할 방법이 없어지고 말아.

중국은 지금 유럽과 미국의 영향을 받아 상공업이 큰 변동기에 있어.

사람들의 빈부가 불균형할 뿐 아니라 토지를 가진 사람 사이에도 불균형이 나타나고 있지.

그래서 우리 국민당은 민생주의의 목적을 사회의 재원*을 균등하게 하려는 데 두었어.

이러한 불균등을 없앨 수 있는 첫째 방법은 토지 문제를 해결하는 일이야.

토지 문제는 각국마다 까다로워. 하지만 우리 생각엔 참으로 간단하고 쉬워. 땅의 권리를 평등하게 나누자는 '지권의 평등'이지.

*재원 – 재화나 자금이 나올 원천.

이런 얘기를 하면 일반 지주들이 두려워하여 들고 일어나 반대하겠지?

마치 사회주의를 입에 올리면 자본가들이 두려워하며 들고 일어나 반대하는 것과 마찬가지야.

만일 중국의 지주가 유럽의 대지주처럼 큰 세력으로 성장해 있다면 쉽게 해결할 수 없을 거야.

그러나 오늘날의 중국에는 이러한 대지주가 없어.

일반 소지주들의 권력은 아직 그다지 크지 않아서 지금 바로 해결에 착수한다면 훨씬 해결하기가 쉽지.

그 방법이란 무엇일까?

그것은 정부가 땅값에 따라 세금을 매기고, 땅값에 따라 매입하는 방식이야.

그럼 땅값은 어떻게 정해야 할까? 나는 땅값은 지주 자신이 정해야 한다고 생각해.

그 땅이 10원을 하든 100원을 하든 그것을 모두 지주 자신이 정부에 보고하도록 하는 거지.

그런데 각국의 토지 세율을 보면, 대개 백분의 일로서, 땅값이 100원이면 세금이 1원이야.

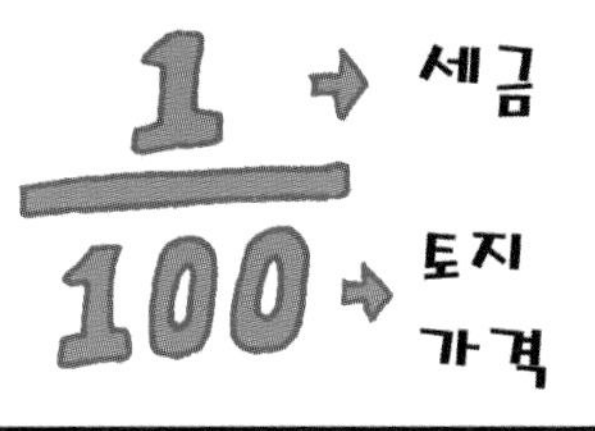


중국도 이와 같은 방식으로 세금을 부과하면 돼.

그리하여 땅값은 지주가 보고한 대로 매기고, 정부는 보고된 땅값을 기초로 세금을 부과하는 것이지.

지주가 땅값을 임의로 보고하도록 하면,
적게 보고할 게 분명해 정부의 손해가 아닌가
하고 많은 사람들이 염려하겠지?

그러나 만일 정부가 규정을
정하여, 지주가 보고한 땅값에
의거하여 세금을 매김과 동시에

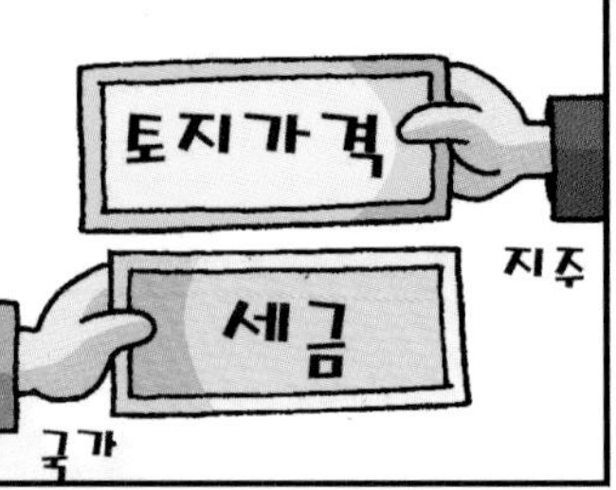


다른 한편으로는 땅값에
의거하여 정부가 매입할 수
있도록 하면 어떨까?

결국 지주가 10만 원의 토지를 1만 원이라고 보고했을 때
지주는 세금으로 100원만 내면 되니까 900원을
절약할 수 있지만,

정부가 그 땅을 1만 원에 매입한다면 지주는
9만 원의 땅값을 손해 보는 것이니, 이것은 대단히 큰
손실이야.

그래서 나의 방법에 따르면,
지주가 적게 보고하면 정부가
그 값에 사들여 땅값을 손해 볼
염려가 있고,

많이 보고하면 정부가 그 땅값을
근거로 무거운 세금을 매기므로
그만큼 손해 볼 염려가 있게 되지.

그러면 지주는 너무 많거나 적지 않고
적당한 값을 택하여 실제 시세를
정부에 보고할 게 틀림없어.

지주가 중간 시세를 보고하는 이상
정부와 지주 모두 손해를 보지 않게
되는 거야.

땅값이 정해지면 또 하나의
법률 규정을 만들어야 해.
그 규정이란 뭘까?

값을 정한 이후에 땅값이 더 올랐을
경우, 양도세 같은 별도의 세금을
부과하고 있어.

그러나 우리의 방식은 나중에 상승한 가격 부분은 완전히 공유하는 거야.

땅값이 상승한 이유가 사회의 개량과 상공업의 진보에 따른 것이기 때문이지.

중국의 상공업은 몇천 년 동안 거의 변화가 없다가

현재의 급격한 도시화로 인한 발전과 개발이 더해져 나날이 변동이 생기면서

땅값이 수십 배 혹은 수만 배로 상승하는 것이잖아.

이 발전과 개발은 다수의 사람들에 의한 것이라고 할 수 있어.

따라서 그 몫도 당연히 대중에게 돌아가야 하는 거야. 절대 개인 소유로 해서는 안 되고.

이 방식이야말로 국민당이 주장하는 지권의 평등이고 민생주의야. 다른 말로 곧 공산주의라고도 할 수 있지.

다만 여기서 공산은 미래의 재산 가치를 '공(共)' 하는 것이지 현재의 것을 '공(共)' 하는 것은 아니야.

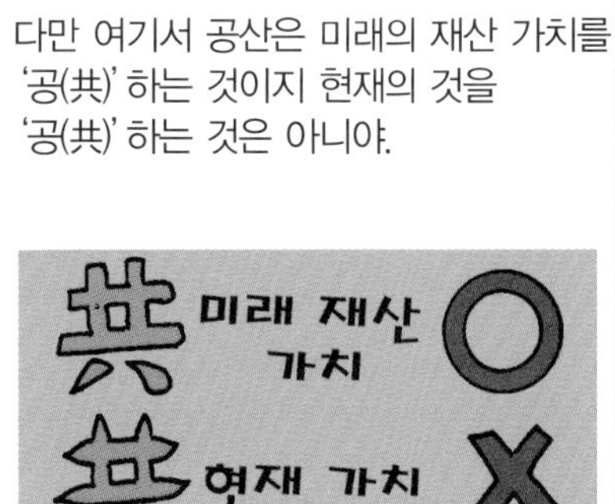


이렇게 하면 지금까지 재산을 가지고 있던 사람들도 결코 손해를 보지 않아.

인민이 이미 소유하고 있는 재산을 정부에게 몰수당하는, 이른바 유럽과 미국의 국유화와는 엄청나게 다르지.

'지권의 평등'이라는 중국 방식에 따르면, 현재 정해져 있는 땅값은 여전히 지주의 개인적인 소유이기 때문이야.

# 토지 불로소득

우리나라에서 고질병의 하나로 생각했던 부동산 투기 문제는 비단 우리나라, 또는 강남 지역에만 국한한 것은 아닙니다. 쑨원의 민생주의에서 지적한 것처럼 사회의 급격한 발전이 토지 가격의 상승으로 이어져, 토지는 현대 자본주의 사회의 빈부 격차를 일으키는 가장 큰 원인으로 작용합니다. 이 토지에서 얻어지는 불로소득에 대해서 좀 더 자세히 알아볼까 합니다.

사회가 발전할수록 '후광' 이라 할 수 있는 토지대금의 상승을 누구의 소유라고 할 수 있을까요? 사회의 것일까요, 개인의 것일까요? 현대사회에서는 이것을 개인의 자산으로 인정하지만, 쑨원은 이것을 사회에서 환수하자고 주장했습니다. 이러한 쑨원의 주장은 요즘 우리나라에서도 거론되고 있을 정도로, 이 문제는 과거뿐 아니라 현재까지도 해결해야 할 큰 문젯거리로 남아 있습니다.

앞에서 말한 것처럼 우연히 얻은 땅으로 인하여 평생을 놀고먹어도 될 만큼 부자가 되는 경우는 지금도 벌어지고 있습니다. 결국 자본을 가진 사람들이 땅 투기로 얼마든지 쉽게 몇십 배, 몇백 배의 일확천금을 벌 수 있는 경제구조란 말이죠. 땅의 용도가 바뀌거나 혹은 땅 주변에 대규모 개발이 이루어지는 경우를 알고 투자를 하면 엄청난 규모의 불로소득이 생깁니다. 이러한 땅 투기는 여러 가지 방법으로 가능한데, 예를 들어 정부의 도시계획 정책을 미리 알아낸다든지, 토지의 용도를 바꾸는 방법을 쓰는 등 토지 대금을 상승시키기 위한 갖가지 수단을 사용하죠.

▲ 한국의 아파트

이러한 엄청난 규모의 불로소득을 얻고 있는 토지 소유자들을 보면서, 서민들은 매일 겪어야 하는 생활고에 분노와 허탈감을 느낍니다. 뿐만 아니라 노동에 대한 건전한 의식도 약화될 수 있죠. 그리고 부동산 투기는 나라 전체의 자금 흐름을 크게 왜곡시킬 수 있는데, 돈이 또 다른 재생산을 위해 투자되지 않고 계속 땅 주변에서만 맴돌게 됩니다. 실제로 토지가 가져다주는 불로소득은 시장 경제의 원리에 어긋나게 움직이고 있습니다. 가격은 수요와 공급에 의해 정해지는데, 토지에서 불로소득이 생기는 것을 시장체제에서 널리 인정한다면 토지를 소유하려는 사람들은 점점 많아지고, 공급은 한정되어 있으니 부동산 투기가 일어나, 토지 대금은 하늘 높은 줄 모르고 올라가게 됩니다.

▲ 영국의 아파트

결국 토지 부분의 문제를 시장 경제의 원리에 맡겨 두기 위해서는 토지에서 생기는 불로소득을 최소화할 수 있도록 정부의 개입이 필요합니다. 그래서 토지를 소유하고 있음으로 해서 저절로 발생한 이 불로소득에 대해서 강력한 제재를 통하여 이를 사회에 환원시키는 방법이 해결 방안으로 제시되고 있죠. 그중 하나가 토지를 보유한 사람들에게 세금을 높게 책정하거

▲ 필리핀의 아파트

나 개발에서 온 이익금을 환수하는 방법 등입니다.

토지는 기계나 물건처럼 가치가 크게 하락하지 않고, 보관하는 데도 특별한 비용이 들지 않기 때문에 투기의 대상으로 이익을 얻기 위해 토지를 소유하려는 사람들이 점점 더 많아지게 됩니다. 이렇게 토지의 불로소득이 높아지면, 기술력 있고 경쟁력 있는 기업들이 시장에 자유롭게 진입하기 위해서는 공장도 필요하고 회사도 지어야 하는데 땅값이 너무 비싸 그런 일들이 불가능해질 수도 있습니다.

민생주의에서도 밝혔듯이 토지의 불로소득은 빈부 격차를 일으키는 주범입니다. 경제학 이론에서는 토지 불로소득을 이론화하고 있지는 않지만 토지를 통하여 막대한 재산을 모으는 극소수는 언제나 건재하고, 반대로 수많은 토지 없는 자들은 더욱 가난해집니다. 왜냐하면 인간은 토지를 딛고 살아야 하는 존재이므로 토지는 생활의 필수 불가결한 것이기 때문입니다. 결국 토지 투기가 일어나 부동산 가격이 폭등하면 토지 없는 사람은 그만큼 손해를 보고, 급기야는 최저 생활 유지가 곤란해지는 지경에까지 이르게 됩니다. 건강한 시장 경제의 원리에 의해 경제 흐름이 원활해지기 위해서는, 토지에서 얻어지는 불로소득과 부동산 투기로 생기는 이익금을 개인의 능력으로 얻은 개인 재산이라고 생각해서는 안 됩니다. 자신의 손에 돈을 움켜쥐고 투기를 시도하기보다는 사회경제의 재생산, 재투자로 환원시켜야겠다는 경제 마인드가 먼저 필요하겠죠.

# 제11장 먹고사는 문제를 해결하자

이제 이야기할 것은 밥 먹는 문제에 대해서란다.

사람들은 흔히 '천하에 밥 먹는 것만큼 쉬운 일은 없다.' 라고 말하지.

그러나 놀랍게도 밥 먹는 문제야말로 가장 중요한 민생 문제지.

밥 먹는 문제가 해결되지 않는 한 민생주의는 해결 방법이 없거든.

즉 민생주의의 첫 번째는 밥이야.

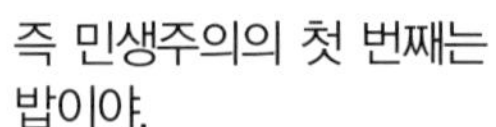

옛날 사람들은 '나라는 백성을 근본으로 하고, 백성은 먹는 것을 하늘처럼 여긴다.' 라고 했으니, 밥 문제가 얼마나 중요한 일인지 알겠지?

유럽 대전이 있기 전까지는 이렇게 중요한 문제에 대해 각국 정치가들은 전혀 관심을 갖지 않았어. 지난 10년 동안 세계 대전을 연구한 사람들에게 독일이 전쟁에서 진 원인을 물어 봤어. 그런데 전투함의 기술이나 전력의 문제 때문이 아니라는 거야.

연합국에 의해 독일 항구가 폐쇄되자 빵과 식량이 떨어졌고, 그러자 길거리에 굶어 죽는 사람들까지 생겼었어.

이에 독일은 더 이상 지탱할 수 없었기 때문에 결국 패배할 수밖에 없었다는 거야.

국가의 존망(存亡)*에 식량이 얼마나 중요한 역할을 하는지 알겠지?

한 사람이나 한 가족이 식량 문제로 곤란을 겪을 때는 해결할 방법이 있어.

하지만 전국의 모든 국민이 밥 먹을 수 있는 일, 특히 중국과 같이 4억 명이나 되는 사람들이 모두 먹는 데 곤란을 받지 않도록 하는 것은 참으로 어려운 문제야.

*존망 – 존속과 멸망 또는 생존과 사망을 아울러 이르는 말.

그러면 중국의 식량은 충분할까?

중국의 토지 면적은 미국보다 훨씬 넓고, 인구는 미국의 3~4배 정도지.

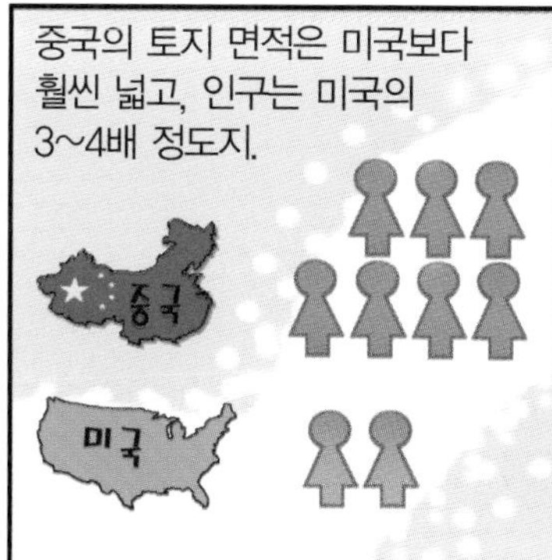


그런데 식량 문제에 대해서만큼은 미국과 비교할 수 없을 정도로 초라하기 짝이 없어.

중국의 인민은 모두 밥 문제에 곤란을 겪고 있으며, 매년 굶어 죽는 인구도 아마 몇천, 몇만 명에 이를 거야.
배고파...
중국

수해나 가뭄으로 굶어 죽는 인구도 계속 늘어나겠지?

외국의 믿을 만한 조사에 따르면, 내가 살던 해의 중국 인구는 3억 1천 명이라는군.
중국
인구

지난 10년 전에는 4억 명이었는데, 10년 사이에 9천만 명의 인구가 줄었다는 거야.
먼저 갈게.

이것은 참으로 무서운 일이지. 왜 이렇게 인구가 감소했을까? 연구해 보니, 식량 부족 때문이라는 거야.

식량이 부족한 원인에는 여러 가지가 있지만, 가장 큰 원인은 농업이 진보하지 않은 것,
기계 하나 장만 하시지.

다음은 외국의 경제적 압박 때문이야.
불평등 조약

앞에서 외국의 경제적 압박에 의해 중국이 한 해에 빼앗기는 것이 12억 원에 이른다고 말했지?
무역 적자 12억 원

그리고 12억 원이 모두 현금으로 빠져 나가는 게 아니라, 식량 형태로도 빠져 나가기 때문에

중국은 점점 더 어려워질 수밖에 없는 거지.

중국 국내에서만 소비하기도 부족한 식량이 왜 외국으로 빠져 나가는지 알아야만 해.

중국 도시를 보면 웅장한 건물 안에 제육 공장도 많고,
제육공장
통조림

오리 · 닭 · 거위 · 돼지 등 각종 가축을 가공하여 외국으로 수출하고 있는 걸 볼 수 있어.

또 많은 보리나 콩도 외국으로 수출되고 있지.
콩
보리
쌀

중국에서 소비해야 할 것을 왜 외국으로 보내는 걸까? 그것은 외국으로부터 경제적 압박을 받고 있기 때문이야.
경제 압박

때문에 비록 우리는 굶어 죽을지언정 다른 나라로 식량을 보내지 않으면 안 되는 거지.
중국 식량

그러고 나니 중국이 식량 문제로 고통을 겪고 있는 거야.

지금 중국이 민생주의를 주장하는 것은 4억 인민 모두가 밥을 먹을 수 있도록 하기 위해서지.
민생주의

전국의 한 사람 한 사람이 싸게 음식을 제공받을 수 있어야만 민생 문제가 해결되었다고 할 수 있지.
30% 세일

그러기 위해 대체 무엇부터 연구해야 할까?

인류가 살아가는 데 필요한 것이 매우 많이 있는데 우리는 이것들을 언제나 소홀히 여기며 살아가고 있지.
멀뚱…
멀뚱…

우리가 필요로 하는 식량을 분류해 보면 중요한 것이 네 가지 있어.

첫째로 공기를 마시고 살지.
휘잉

여러분이 비웃을지 몰라도, 공기를 마시는 일은 밥을 먹는 일보다 훨씬 중요한 일이야.
맑은 공기는 정신을 상쾌하게 하지.

둘째 물을 마셔야 하고, 셋째 동물을 먹어야 하고, 넷째 식물을 먹는 거야.

이렇게 공기, 물, 동물, 식물의 네 종류야말로 인류에게 가장 중요한 식량이야. 이것을 나누어 설명할게.

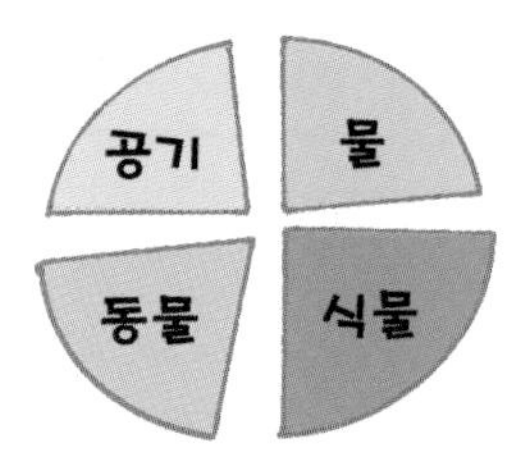


첫째, 공기를 마시는 일은 정말 중요한 일이야. 믿어지지 않으면, 코와 입을 막고 1분 동안 공기를 마시지 말아 봐.

어떤 느낌이 드니? 참을 수 있니?

우리가 공기를 마시는 것은 1분 동안에 약 16회야. 밥을 먹는 것은 많아야 세 번이지.

그런데 공기를 마시는 일은 매일 2만 3천 40회, 한 번이라도 거른다면 상태가 좋지 않아져. 공기는 인류가 목숨을 유지하는 데 가장 중요한 물질인 거야.

둘째, 물을 마시는 일. 우리가 밥만 먹고 물을 마시지 않는다면 목숨을 유지할 수가 없어.

인간은 밥을 먹지 않고는 5, 6일 정도 살아갈 수 있지만,

마실 물이 없다면 닷새도 살지 못하지.

셋째는 식물을 먹는 것이지. 식물은 인류의 목숨을 유지하는 데 가장 중요한 식량이지.

중국은 오랜 문화의 나라인지라 중국인 대부분은 식물을 먹고 있어.

그러나 야만인의 대부분은 동물을 먹지. 따라서 동물도 인류의 식량이야.

중국의 농산물은 지금까지 줄곧 인간의 손에 의해 생산돼 왔어.

중국의 농업 생산은 농민의 힘에 의지하고 있으며, 그러기에 중국의 농민은 매우 힘든 노동을 하고 있지.

이러··
이러···

농민 자신이 수확한 것을 자기가 가져갈 수 있도록 해야 하는 거야.

농민이 권리를 보장받는 문제는 다름 아닌 지권의 평등으로 이루어 낼 수 있는 일이지.

장래에 민생주의가 참으로 그 목적을 달성하고, 농민 문제를 참으로 완전하게 해결하려면 '경작자에게 밭을!' 이라는 말이 실행되어야 해.

그것이 농민 문제 해결의 최종 결과라고 할 수 있지.

중국은 현재 대부분의 일반 농민에게 자기 전답이 없어.

그들이 경작하는 대부분의 땅은 지주의 것이지. 전답을 가지고 있는 사람은 스스로 경작하지 않더군.

이치대로라면 농민은 당연히 자기를 위해 전답을 경작해야 하고, 수확한 농작물은 자기 소유가 되어야 하지.

그런데 지금의 농민은 모두 경작할 자기 땅이 없고, 생산한 농작물마저 지주에게 빼앗기지.

이는 참으로 중대한 문제야. 이것은 즉시 정치와 법률로 해결해야 해.

농민이 전답을 경작하고 난 뒤 자신의 손에 넣는 식량은 생산물의 40%에 불과하다는 최근 조사가 나왔더군.

만일 이대로 계속된다면 농민이 지식을 가지게 되었을 때 굳이 고생해 가며 전답을 경작하고 싶겠어?

농업에 대해서는 이런 문제 외에도 생산 증대를 위한 해결 방법이 도입되어야 하지.

내가 주장하는 생산 증대
방법에는 일곱 가지가 있어.

첫째는 기계의 문제지. 지금까지는
인간의 손으로 4억 명을 먹여 살려
왔으므로

기계를 사용하여 식량 생산에 힘쓴다면
8억 명을 먹여 살릴 수 있을 거야.

탈.. 탈.. 탈..

따라서 식량 생산에서 인력을
기계로 대체하는 연구를 서둘러
해야 해.

중국은 지형이 높아 물을
끌어올리기가 어려워 황폐한 땅이
많아.

기계로 저지대의 물을 고지대로 끌어
올려 주면 경작이 가능해질 거야.

이렇게 황무지를 기름진 땅으로
바꾼다면 식량 생산량은 대대적으로
증가하지 않겠어?

그런데 지금 경작이나 수리*에
사용되는 모든 기계는 외국에서
수입해 온 거야.

앞으로 농업 기계를 사용하여
기계에 대한 수요를 증가시키고
우리 스스로 기계를 제조할 수
있다면 해외로 유출되는 이권을
되찾을 수 있을 거야.

*수리(水利) – 식용, 관개용 등으로 물을 이용하는 일.

둘째는 비료의 문제야.
이제까지는 인간과 동물의 분뇨와
각종 부패된 음식물을 비료로
사용하였고, 화학비료는 사용한
적이 없었지.

요즘에 이르러 칠레의 '초석'을 비료로
쓰는 걸 보았어. 그랬더니 성장 속도가
배로 늘었고 몇 배나 큰 열매를 맺더군.

하지만 이 칠레 초석은 남미에서
수입하기 때문에 경비가 비싸서
많은 사람들이 사용하기에는
어려움이 많아.

농업 생산을 증대하는 데
비료가 반드시 필요하다면,
비료

우리 스스로 연구하여 과학적 방법으로
비료를 제조하지 않으면 안 되지.
비료를 제조하는 원료는 중국에도
곳곳에 있어.

셋째로 윤작을 해야만 해. 윤작이
뭐냐고? 어떤 토지에 올해 A라는
식물을 심었다면,
고구마

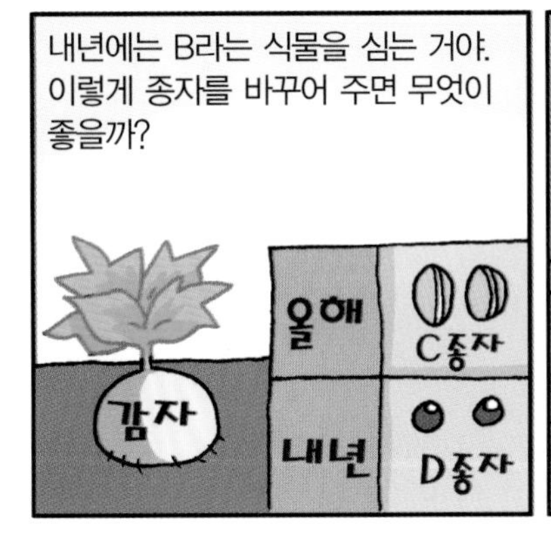
내년에는 B라는 식물을 심는 거야.
이렇게 종자를 바꾸어 주면 무엇이
좋을까?
감자
올해
C종자
내년
D종자

그러면 토양이 번갈아 가며 쉴 수
있고, 생산력이 증대된다는 거야.

더욱이 종자가 새로운 토양에
뿌려지고 새로운 공기와 접촉하며
자람으로써

성장력은 더욱 강해지고 열매도
풍성해지는 법이지. 결국 생산 증대에
윤작은 꼭 필요한 거야.

넷째로 식물의 해충과
동물의 해악을 막아야 하지.
아삭
아삭

예를 들어 논은 원래 곡물을 심는 곳이지만
열매가 여물지 못하게 하는 벼쭉정이나
잡초가 생기기 쉬워.
벼들이 자라지
못하게 해.

더욱이 이와 같은 잡초나
벼쭉정이는 벼보다 성장이 빠르고,
벼의 성장을 방해하는 한편,
내가 더
크지…

논의 비료 성분을 흡수해
벼농사에 엄청난 해로움을
줘.
쪼옥
비료

따라서 과학적으로 잡초의 재해를 막을 수
있는 방법을 연구해야지.
쏴!
잡초 살려!

잡초뿐 아니라 동물도 해로운 게 많아. 가장 흔한 것이 메뚜기이고 그 밖에 해충도 많지.

곡물이 성숙할 때 해충이 고스란히 갉아 먹어 수확을 거의 못하게 해.

국가는 전문가들에게 해충을 자세히 연구하게 하여 구제 방법을 찾도록 해야 해.

미국 등에서는 이를 심각한 문제로 간주해 매년 해충 구제법을 연구하는 데 많은 돈을 투자하지.

이 때문에 미국의 농업 수입은 매년 수억 원씩 증가하고 있어.

다섯째로 보관법을 연구해야 해. 식량을 오래 보존하고 멀리까지 수송하려면 반드시 한두 번 처리 과정을 거쳐야 하지.

중국에서 가장 일반적인 정제 방법은

말리는 것과 소금에 절이는 방법이야. 건조 야채, 건어물, 건육, 소금절이 야채 등이 그것이지.

그러나 다른 나라에서는 충분히 삶거나, 혹은 익힌 것을 양철통에 담아 밀봉해 식품을 보존하고 있어.

그렇게 하면 아무리 오래 지나도 따서 먹을 때에는 새것과 다를 바 없다고. 어떠한 물고기, 육류, 과일이라도 통조림으로 만들기만 하면

전국에 배급하기도 쉽고 외국에 팔 수도 있다는 걸 알았으면 해.

다음은 수송의 문제야. 식량을 조달하기 위해서 수송에 의지할 필요가 있어.

지금 중국의 많은 지방에서는 화물을 운반하는 데 짐꾼의 어깨를 빌리지.

가장 힘센 짐꾼이라도 하루에 100근을 메고 100리를 갈 수 있을 뿐이야.

더욱이 하루 품삯은 많아야 1원이야. 이렇게 되면 금전 낭비뿐 아니라 시간 낭비도 되지.

딸랑!

10명이 운반할 수 있는 것을
1대의 자동차가 할 수 있고,
1oT

10대의 자동차에 실을 수 있는
걸 1척의 배로 수송할 수 있지.
100T

제일 값싸고 쉬운 수송은 철도를 이용한
기차가 최고야.
칙칙 폭폭

마지막으로 천재지변의
재앙을 막는 일이 남아 있어.
콰릉

지난번 곡식이 익으려고 할 때
광저우 지방에 수해가 일어나서 완전히
물에 잠기고 말았지.

결국 밥 먹는 문제를 해결하기
위해서는 수해를 방지할 대책이
필요한 거야.
강수량

요즘은 수해를 막기 위해 강의 범람을
막는 높은 제방을 쌓고 있기는 하지만

그것은 근본적인 대책이 되지
못해. 근본적으로 수해를 막기
위해서는 산림을 조성해야 해.

사람들이 나무를 지나치게 많이 베고

다시 심는 일을 게을리 했기
때문에 수해가 일어나는 법이지.
콸콸

이렇게 일곱 가지의 방법을 원활하게
한다면 중국의 곡물은 우리 모두가
먹고도 남을 정도로 수확할 수 있게
되지 않을까?
와!
식량확보

그 후에 외국으로 수출을 하든, 세
금으로 내든 하자는 거야.

# 농생명공학의 발달

현대사회에 들어오면서 농업은 고된 노동과 오랜 시간이 요구된다는 것 때문에 사람들에게 인기 있는 직업이 되지는 못하지만, 한 나라의 경제적 살림의 기본이자 토대입니다. 인간이 생존하기 위한 필수불가결한 요소가 의식주衣食住라고 한다면 그중 제일 중요한 것이 바로 '식'이라 할 수 있습니다. 그래서 농업과 관련한 식량 증산이나 식량 보존법은 현대 과학기술의 핵심 영역으로 그 중요성을 이어 나가고 있습니다.

▲ 농업관련 유전 공학

쑨원의 시대에 농사법을 통하여 토지를 개량하고, 기계를 보급하는 수준의 식량 증산을 주장했다면, 현대 사회에서는 생명공학 분야에서 인류의 미래 식량 개발을 위하여 많은 연구와 결과를 내놓고 있습니다. 예를 들어, '슈퍼 옥수수' 등의 신품종 개발이라든지, 유전자 복제를 이용한 복제양 '돌리' 등도 다 이러한 분야에서 만들어낸 성과라 할 수 있습니다.

뿐만 아니라, 정밀 농업 방법을 활용하여 정밀하게 과학 이론과 기술을 도입해 작물의 환경과 토양을 조사하고, 조사한 토양과 환경에 적합한 품종을 선택하고 필요한 만큼의 퇴비를 주는 것을 결정하기도 합니다. 재배 방법을 숙지하여 적기에 씨를 심고, 병충해를 방제하는 등에도 선진 과학 기술을 활용하고 있습니다. 토양과 기후 및 환경에 적합한 품종을 선택하여 재배하거나, 대규모 간척지를 개발해 농경지를 확대하여 작물을 재배하면서 식량을 증대시킬 수도 있지요. 물론 기본적으로 전반적인 영농작업을 기계화하여 인건비를 감소하고 생산비를 절감하는 등의 노력을 꾸준히 하고 있는 것은 더 말할 나위가 없습니다.

▲ 새로운 관개시설

특히 요즘 과학 분야에서, 게놈(낱낱의 생물체가 가진 한 쌍의 염색체)과 게놈 생산물을 이용한 여러 가지 방법으로 보다 많은 생산량, 좋은 질, 저항성을 높이기 위한 많은 연구가 진행되고 있습니다. 이처럼 좋은 농업적 형질을 만들어 내고 있으니, 인류가 농업을 위한 기술 발전에 얼마만큼 노력하고 있는지 알 수 있습니다. 이러한 농생명공학은 현대사회에서 없어서는 안 되는 과학 분야입니다. 도시화·산업화로 인해 경작 면적이 줄어들지만, 세계 인구는 점점 증가하고 있는 인류의 위기를 이겨 내기 위해서라도 반드시 역점을 두고 연구해야 하는 분야인 것이죠. 이러한 농생명공학의 연구 성과로 식량 공급량을 증가시킬 수 있고, 좀더 효과적으로 이용할 수 있도록 생물안전성을 갖춘 새로운 형질전환 식물의 품종을 육성하기 위하여 연구를 거듭하고 있습니다.

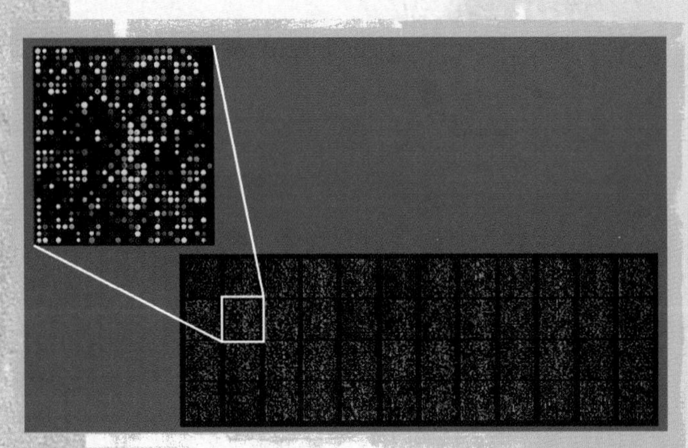
▲ DNA칩

유전자 예측 소프트웨어를 이용해 게놈 서열을 알아낸다든지, 유전자 지도를 파악하여 한 종種이 가지고 있는 모든 유전자의 완전한 본질을 예측할 수 있고, 이러한 유전자 복제 기술을 이용해 새로운 형질로 전환된 품종을 만들어 낼 수 있다는 것은 신神의 영역에서나 가능했던 창조의 능력이 인간의 과학기술에 의해 가능해졌다는 것으로, 사람들은 이에 열광하고 있습니다. 다만 현재까지는 연구 기자재와 과학자의 부족, 개발도상국에서 적절한 생물 안정성 규제방안의 부재 등으로 심각한 장벽이 되기도 하고, 이러한 과학기술의 결과가 영세한 농민에게는 영향을 주지 못하는 상품화의 제한 등도 풀어 나가야 할 숙제로 남아 있습니다.

이러한 유전자 변이를 통한 농작물의 생산으로, 비타민과 철분 함유량이 높은 벼, 나무에서 보다 빠르게 익을 수 있는 바나나, 영양가 높은 옥수수, 플라보놀 함량이 높은 토마토, 추위를 견디는 옥수수, 과일과 채소를 이용한 식용 예방주사 백신 등의 연구 결과가 곧 나올 수 있다고 과학자들은 말하고 있습니다. 물론 이러한 농생명공학 분야의 발전이 환경에 대한 안전성, 미래 식량에 대한 대책, 농민의 소득 증대, 농업 효율성 높이기 등의 과제를 동시에 달성해 낼 수 있도록 국가적·경제적 뒷받침을 이루어야 할 것입니다.

▲ 복제 개 스너피

# 제12장 삼민주의 전후의 중국 역사

지금부터는 삼민주의가 나오기 전인 영국의 산업 혁명 시대부터 중국의 사회주의 국가 건설까지 중국 역사의 대장정을 한번 걸어가 보자.

제일 먼저 알았으면 하는 것은 영국의 산업 혁명이야.

18세기 후반 영국에서는 과학 기술의 발달로 인해 기계와 공장이 산업의 핵심적인 역할을 담당하게 되었어.

이렇게 기계의 발명과 기술의 혁신으로 이 시기에 나타난 산업상의 급속한 변화를 '산업 혁명'이라고 하지.

그에 따라 영국은 생산력을 바탕으로 풍요로워졌고

이러한 경제력을 바탕으로 넓은 식민지를 보유하게 되었어.

*벨(1847~1922) – 영국 태생의 미국 과학자 · 발명가.

해외 무역을 하기 위해서는 항구가 개방되어야 하는데, 그 당시 대부분의 아시아 국가는 제한적인 해외 교류만 허용하고 있었어.

문 열어!

싫어!

영국 사람들은 하루에 홍차를 평균 여섯 차례 정도나 마실 만큼 홍차가 대중적인 인기 식품이었지.

영국은 본국에서 생산한 공업 제품을 수출하고 홍차를 사려 하였으나, 중국은 이를 거절하고 은(銀)만 요구했어.

은으로 줘..

공업 제품

중국의 화폐제도는 '은(銀)본위제*'라 하여 은으로 교환 가치를 매기고 있었거든.

그러니 영국은 홍차를 수입하기 위해 무역 적자를 감수하며 막대한 은을 중국에 지급해야 했어.

산업 혁명을 진행하기 위해서도 많은 은이 필요했던 영국은 중국이 요구하는 양만큼의 은을 조달하기 힘들었어.

좋은 방법이 없을까?

*은본위제 – 일정량의 은을 기본 화폐로 하는 화폐제도.

이에 영국은 자기 나라에서 생산되는 물건을 인도에 팔고,

인도 농민들에게 아편을 강제로 재배시켜 중국에 밀수출했던 거야.

아편 판 돈의 일부는 중국산 차를 사고, 나머지는 산업 혁명 자금으로 썼다는군.

영국이 중국으로 아편을 밀수하자 중국의 은이 대량으로 영국에 건너가게 되었어.

아편
영국
은
중국

그러자 중국의 국가 재정과 농민 생활은 대단히 어려워졌고 국민 건강도 크게 악화되었지.

아편이 중국인에게 널리 퍼지자 중국인의 건강과 경제는 심각한 골칫거리가 되었어.

뿐만 아니라 은이 해외로 빠져 나가면서 은값이 폭등하자, 은으로 세금을 내야 하는 농민들은 큰 어려움을 겪어야만 했어.

이에 중국 정부는 '임칙서*'를 광저우에 파견해

영국 상인이 밀수한 아편을 모조리 빼앗아 불태웠지.

*임칙서(1785~1850) – 중국 청나라 말기의 정치가. 흠차대신이 되어 밀수한 아편을 불태우고 수입 금지를 명하여 아편 전쟁을 유발하였다.

이에 대항해 영국은 함대를 파견하여 중국 해안 지방을 공격하기 시작했어.

이것을 제1차 아편 전쟁이라고 해.

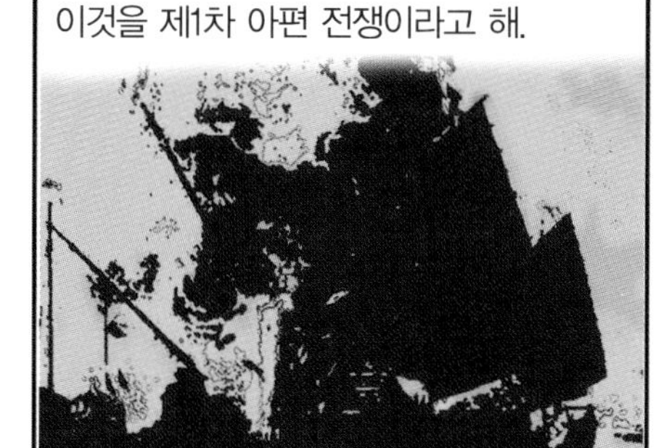

결국 이 전쟁에서 패한 청은 난징조약*을 맺어,

*난징조약 – 1842년에 아편 전쟁을 끝내기 위해 영국과 청나라가 난징에서 맺은 조약.

영국에게 홍콩을 넘겨 주고, 많은 전쟁 배상금을 지급하였으며, 5개 항구를 개항했어.

난징조약은 중국 역사상 최초의 불평등 조약이었던 거야.

하지만 그 뒤에도 영국의 대 중국 무역은 크게 좋아지지 않았어.

이에 영국은 1856년 중국의 해적선에 영국 국기를 게양한 것을 빌미로 '애로(Arrow)호 사건'을 일으키지.

이를 구실로 영국은 프랑스와 연합해 중국의 톈진과 베이징을 점령했어. 이것이 제2차 아편 전쟁이지.

청 왕조는 이때 톈진조약*과 베이징조약*을 맺어 추가로 항구를 개항하였고,

*톈진조약 – 1858년에 중국 톈진에서 일본과 청나라가 맺은 조약.
*베이징조약 – 1860년에 중국 청나라와 영국 · 프랑스가 맺은 애로호 사건의 강화 조약.

영국 외교관이 중국 베이징에 주재하기 시작하였으니, 외국의 내정 간섭이 시작되었다고 볼 수 있지.

이때 러시아는 이 사건을 조정해 준 대가로 연해주를 얻었다고 해.

강대국은 서로 연합하여 중국과 전쟁을 치르며, 중국의 이런저런 이권을 하나씩 빼앗아 간 거지.

아편 전쟁 뒤에 중국 농민들은 더욱 무거워진 세금으로 고통을 겪었을 뿐 아니라,

영국의 수출품이 대거 들어오면서 물가까지 폭등해 생활은 극도로 어려워졌어.

이때 홍수전*이라는 사람이 상제회*를 조직해

상제회

*홍수전(1814~1864) – 중국 청나라 말기 태평천국의 창시자.
*상제회 – 중국 청나라 말기, 상제 여호와를 유일신으로 숭배하던 종교적 비밀 결사.

'토지를 골고루 나누어 준다.' 고 선전하면서 태평천국*을 건설한 게 1851년이야.

태평천국은 중국의 전통적인 이상향인 '태평' 과 크리스트교의 이상향 '천국' 이 어우러져 만들어진 개념이야.

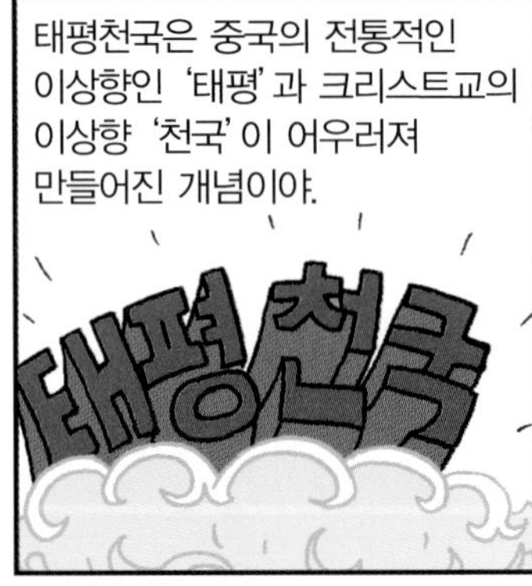


홍수전은 오랫동안 토지 없는 설움에 시달려 온 농민들에게 새로운 토지제도를 시행해서 내 땅을 가질 수 있다는 꿈과 희망을 주었어.

*태평천국 – 1851년에 홍수전과 농민 반란군이 중국 광시성에 세운 나라.

그뿐 아니라 남성에게 의존하여 수동적으로 살 것을 강요당해 온 중국 여성들을 위해

남녀 차별 폐지와 전족 금지 등의 구호를 내걸었어.

당시 중국 여성은 어렸을 때부터 전족이라고 하여 작은 발을 유지하기 위해 발을 꽁꽁 동여매고 살면서 기형적 형태를 유지해야만 했거든.

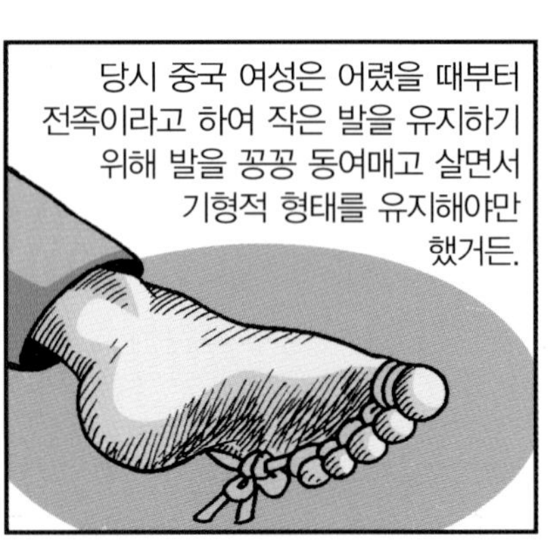

그러나 농민들이 바라는 이상 세계를 건설해 보겠다는 태평천국 운동은 오래 가지 못했어.

당시 청나라 군사는 외국과의 전투에서 전투력을 거의 잃은 상태였기 때문에

지방의 유력 인사 증국번*, 이홍장* 등이 지방에서 부랑배와 농민으로 구성된 의용군을 조직하여

*증국번(1811~1872) – 중국 청나라의 정치가, 학자. 태평천국 운동을 진압하고 양무 운동에 노력한 공신이며 주자학자 · 문장가로도 유명하였다.
*이홍장(1823~1901) – 중국 청나라의 정치가. 태평천국 운동 진압에 공을 세우고 양무 운동의 중심 인물로 군대와 산업의 근대화에 힘썼으나 청일 전쟁의 패배로 실각하였다.

태평천국을 공격했어. 베이징조약 뒤에는 서양 세력도 청을 지원해 주며 태평천국 운동을 진압했지. 혁명적 이념이 점차 퇴색하던 태평천국은 결국 이들 연합군에 의해 붕괴되었어.

당시 대부분의 중국인은 새로 들어온 크리스트교를 서양 세력의 앞잡이로 생각했어.

더욱이 외국과의 교류가 시작된 뒤에 서양의 값싼 공업 제품이 수입되어 중국인의 생활은 더욱 어려워졌어.

그 때문에 19세기 후반에는 각지에서 반기독교 폭동이 일어날 정도였지.



특히 산둥 지방에서는 의화단*이라는 비밀 결사가 반기독교·반제국주의 운동을 일으켰어.

*의화단 – 중국 청나라 때 외세를 배척하기 위하여 조직한 비밀 결사.

1900년에는 '의화단 운동'이라고 하여 베이징까지 진출해 외국 공관을 공격했는데, 청은 이들의 힘을 빌려 서양 세력을 몰아 내려고도 했지.

이 사건 때문에 중국인은 매우 잔인무도하게 서양인을 학살하는 야만인의 이미지로 그려졌어.

중국인의 서양인 박해에 분노한 영국, 미국, 일본 등 8개국은 연합군을 구성하여

의화단 운동을 진압하고 신축조약(베이징 의정서)*을 체결했어. 이러한 중국 내의 어려움을 자각하고,

자체적인 근대화 개혁 운동으로 양무 운동*이 있기도 했어. 유럽의 선진 기술을 받아들여 산업을 일으키고

*신축조약 – 1901년에 중국 베이징에서 청나라와 영국, 프랑스, 미국, 러시아, 독일, 일본 등 11개 연합국이 체결한 의정서.
*양무 운동 – 19세기 후반에 중국 청나라에서 일어났던 근대화 운동. 태평천국 운동과 애로호 사건 등에 자극받아 증국번, 이홍장 등이 주동이 되어 군사, 과학, 통신 등의 개혁을 꾀하였다.

군비를 확충하기 위하여 군수 공장과 직포 공장, 기선 회사 등을 설립하고 광산 개발도 추진했어.

또 동문관*을 설치하여 선진 과학과 어학을 배우게 하고

외국에 유학생을 파견하는 등의 활동을 추진하게 되지.

***동문관** – 청 말기에 베이징에 세운 외국어 전문학교.

그러나 양무 운동은 의식이나 제도의 개혁 없이 단지 서양의 기계와 기술만을 흡수하려 했고

체계적이고 일관성 있게 추진되지도 못했어.

기업의 경영도 자본주의적인 경제 논리에 따르지 않고 정부가 주도했지.

이러한 미진한 개혁 변화는 청일 전쟁 때 일본에 패하는 결과를 가져오게 했는데, 이 전쟁은 중국인에게 엄청난 정신적 충격을 주었다고 해. 이때 일본에게 랴오둥(요동)반도와 타이완(대만)을 넘겨 주고, 전쟁배상금까지 지급하게 되었으니 이는 철저한 패배였던 셈이지.

청이 서양과의 전쟁에서 진데다가 조그마한 섬나라 일본에게까지 패했다는 것은 전국적으로 충격이 컸어.

게다가 서양 열강은 청이 일본에게 허락한 갖가지 요구를 수락하는 경우의 수를 들어 가며 자신들도 중국으로부터 갖가지 이권을 빼앗아 갔지.

우리한테도 줘!

전쟁 배상금

카유웨이(강유위)* 와 량치차오(양계초)* 등은 이러한 위기를 극복하는 방법으로 변법자강 운동을 추진했어.

캉유웨이는 현실 개혁적인 학문에 심취해

인간의 역사는 발전하여 계급과 남녀의 차별이 없는 대동 사회의 '민권'과 '평등'이 실현되어야 한다고 주장했어.

*캉유웨이(1858~1927) – 중국 청나라 말 및 중화민국 초기의 정치가, 학자.
*량치차오(1873~1929) – 중국 청나라 말 및 중화민국 초기의 정치가, 사상가.

청일 전쟁에서 패전한 원인이 정부와 백성의 뜻이 서로 통하지 못한 데 있다고 지적하며

서양식 의회 정치의 도입을 주장하는 상소를 올렸어.



이들은 일본의 근대화를 추진했던 메이지유신*을 모방하여 백성의 권리와 의무가 보장되는 입헌 군주제의 도입을 주장했지.

*메이지유신 – 19세기 후반 일본의 메이지 천황 때에, 에도 막부를 무너뜨리고 중앙 집권 통일 국가를 이루어 일본 자본주의 형성의 기점이 된 변혁의 과정.

당시 중국은 군주제에 의해 황제가 모든 권한을 가지고 있었거든.

지금은 입법, 사법, 행정으로 권력이 나뉘어 있지만, 그 모든 것이 중국에서는 황제 한 사람에게 집중되어 있었어.

당시 중국의 황제였던 광서제는 이에 찬성하였고 그래서 무술변법(변법자강 운동)*을 단행했어.

*무술변법 – 중국 청나라 덕종 때 변법자강을 목표로 일어난 개혁 운동.

그러나 황제의 이모인 서태후는 황제를 감금하고, 보수파들을 모아 100일 만에 무술변법을 좌절시켰단다.



근대화 운동이었던 변법자강 운동과 의화단 운동이 모두 실패한 뒤

중국의 개혁 운동은 입헌파와 혁명파로 양분됐어.

캉유웨이 등 대부분의 유력 인사들은 여전히 청 왕조를 중심으로 한 입헌 군주제를 주장했어.

반면에 해외 유학생과 신식 교육을 받은 청년들은 청조의 타도와 공화정 수립을 주장하면서

쑨원이 삼민주의 이념으로 조직한 중국 혁명 동맹회를 지지했지.

청나라 왕조는 입헌파의 주장에 따라 의회를 개설하고

과거제의 폐지, 신군의 창설 등을 주요 내용으로 하는 개혁을 단행하기도 했어.

그러나 의화단 운동이 실패한 뒤에 열강에게 지급할 배상금을 마련하기 위해 세금을 증가시키는 바람에

민중의 불만은 극에 달했어.

개혁이란 것은 재정적인 능력을 무시할 수 없는 것이거든.

사람들의 마음을 움직이기 위해서는 먼저 경제력을 가지고 있어야 한다는 거야.

청 왕조는 재정난을 타개하기 위해 민영 철도를 국유화하려고 했어.

그러자, 백성은 더욱 조여 오는 정부의 수탈에 분개하며 철도를 국가에 빼앗길 수 없다며

철도권을 가지고 싸웠던 거센 움직임이 1911년에 일어나게 되지.

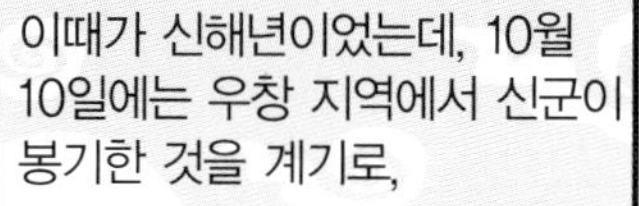

이때가 신해년이었는데, 10월 10일에는 우창 지역에서 신군이 봉기한 것을 계기로,

중국 전역 대부분 지역에서 성의 우두머리를 중심으로 청나라 왕조로부터의 독립을 선언하게 돼. 이것이 신해 혁명의 시작이었어.

이때 혁명파는 쑨원을 임시 대총통으로 추대하고 중화민국의 성립을 선포했어.

청은 사태의 해결을 위안스카이에게 위임했지만,

그는 오히려 혁명파와 타협하여 청조를 멸망시키고 중화민국의 대총통에 취임했어.

하지만 정권을 잡은 위안스카이는 공화국 건설이라는 혁명파와의 약속을 깨뜨리고

이들을 정치적으로 탄압하면서 스스로 황제가 되려고 했지.

하지만 결국 그는 돌연 사망했고, 중국은 각지에서 군벌들이 자신의 세력을 바탕으로

세력을 확장하려 전쟁을 일으키니 더욱 혼란한 상황에 빠지게 되었어.

군벌은 중국이 외세를 몰아내고 근대적인 민족국가로 향하는 길목에서 넘어야 할 산이었어.

위안스카이가 죽은 뒤 약 10여 년 동안은 반민족적인 군벌의 시대라고 할 만큼 이들의 세력이 중국을 좌우하고 있었지.

그들은 중국의 근대적인 민족국가 수립을 방해한 존재들이었어.

중국이 이러한 진통을 겪고 있을 무렵 전 세계는 제국주의의 폭풍으로 아주 커다란 고통을 겪고 있었어.

19세기 후반 이후 선진 자본주의 국가들은 앞다투어 식민지 쟁탈전에 나섰던 거야.

이러한 제국주의 정책으로 아프리카와 아시아 대부분의 국가들과

태평양의 여러 섬들이 제국주의 열강의 식민지로 전락하는 운명을 맞아야 했던 거지.

세계는 제1차 세계 대전으로 대대적인 전쟁을 치러 내야 했어.

한편 제1차 세계 대전 중에 러시아에서는 혁명이 일어나 세계 최초로 사회주의 국가가 탄생했어.

제1차 세계 대전 이후에는 세계 평화를 유지하기 위한 다양한 대책들이 강구되었어.

국제적인 협조의 기운 속에 전쟁의 피해가 서서히 복구되었다고 봐야지.

하지만 전쟁 뒤 독립을 기대했던 아시아, 아프리카의 여러 나라들은 기대대로 이루어지지 않자, 적극적인 반(反)제국주의 운동을 벌이게 돼.

중국에서는 세계 대전으로 서양 세력이 일시 후퇴한 틈을 타서, 일본의 침략이 더욱 가속화되었어.

그러나 중국 각지의 군사력과 통치력을 장악했던 군벌들은

국가적 위기에 아랑곳하지 않은 채 서로 항쟁을 계속하여 중국을 더욱 불안하게 만들었지.

이때 중국의 지식인들은 앞장서 신문화 운동을 시작했어.

신문화 운동은 전통적인 유교 사상과 관습을 버리고

서양의 민주주의와 과학 정신을 수용함으로써 주체적 인간이 될 것을 지향하는 의식 개혁 운동으로 방향을 잡아 갔지.

1919년 파리강화회의에서 중국에 대한 일본의 침략이 인정되자,

5월 4일 베이징의 대학생 5천여 명이 천안문에서 학생 선언을 하고, 격렬한 시위를 벌였는데, 이를 5 · 4운동이라고 하지. 이 운동은 곧 전국적으로 확산되어 반봉건 · 반군벌 · 반제국주의 운동으로 발전했어.

한국에는 3 · 1 운동이 있었지. 우리나라도 유관순뿐 아니라

많은 민족 지사들이 참여하여 전국적으로 일어났던 항일 민족 운동의 역사를 지금까지도 되새기고 기리고 있잖아.

인도는 당시 영국 식민지령이었는데,

영국으로부터의 자치권을 주장하며 간디*를 중심으로 비폭력·불복종 운동을 전국적으로 전개했어.

베트남도 프랑스의 식민지였는데 호찌민*의 주도로 공산주의 단체를 결성해서

베트남에 대한 지배권을 유지하려는 프랑스와 9년여 전쟁 끝에 프랑스를 베트남에서 물러나게 할 수 있었어.

**＊간디**(1869~1948) – 인도의 정치가, 민족 운동 지도자.

**＊호찌민**(1890~1969) – 베트남의 혁명가, 정치가. 인도차이나 공산당을 창설하여 베트남의 독립 운동을 이끌었으며, 1945년 베트남 민주공화국의 건국과 더불어 대통령에 취임하여 북베트남에서 사회주의 건설의 기초를 마련하였다.

하지만 쑨원은 커다란 진전 없이 사망했어. 그래서 죽는 순간까지 혁명을 이루어 내지 못한 것에 대한 안타까움으로 유언에도 '미완의 혁명을 꼭 이루어 달라.'는 당부를 잊지 않았던 거야.

유언

1935년 농민을 중심으로 하는 사회주의를 건설하는 한편,

화북 지역으로 진출하여 전면적인 침략 전쟁을 시작했는데,
화북

이 과정 중 난징에서 수십만 명의 양민을 학살하였으니, 이것이 그 유명한 난징대학살이지.

이에 중국의 국민당과 공산당은 내전을 잠깐 멈추고
정
전
국민당
공산당

항일 투쟁에 합의한 후 일치 단결하여 일본에 대항했어.

일본과 독일은 강력한 군사력을 무기로 제2차 세계 대전을 일으켰지.
세계
대전

그러나 연합군(UN)에 의해 일본이 항복한 뒤에도
항복!

중국은 국민당과 공산당 사이의 전면적인 내전으로 몸살을 겪었어.
내 전
중
국

국민당 정부는 미국의 지원을 받았지만 당 지도부의 부패로 민중의 지지를 잃었고,
$
부
패

공산당은 신(新)민주주의와 토지 개혁을 제창하여 농민의 지지를 얻었어.
공산당은 1949년 마오쩌둥을 중심으로 중화인민공화국을 세웠어.

그래서 지금까지 중국은 두 개의 나라로 갈라져 서로 등을 돌리고 있어.

좌절과 아픔의 역사가 한국과 그다지 다른 것 같지 않아. 그러니 중국을 살펴보는 것은 우리에게도 많은 도움이 될 거야.

그럼 아쉽지만 이것으로 쑨원과 삼민주의에 대한 강의를 마칠까 해. 모두 열공!
삼 민
주 의

# 송씨 가문의 딸들

▲ 장제스 1930년대

중국의 근현대사를 설명할 때 쑨원과 장제스를 빼놓을 수 없습니다. 이 두 위인의 아내는 자매였는데, 둘은 모두 중국에서 내로라하는 가문이었던 송씨 가문의 딸이었습니다.

그 집에 딸은 셋이었는데 큰 딸은 쑹아이링宋愛齡으로, 그녀는 중국에서 최대 금융 재벌가였던 쿵샹시孔祥熙라는 사람과 결혼했습니다. 둘째 쑹칭링宋慶齡은 중국 혁명 이론을 주창했던 쑨원과, 셋째 쑹메이링宋美齡은 당대 최고 권력을 가지고 있던 장제스와 결혼했습니다. 이렇게 걸출한 여걸들을 배출한 송씨 가문은 쑨원의 혁명 이론을 추종하며 자기 집안에서 모든 봉건 잔재를 없애고 딸들에게 현대식 교육을 했습니다.

둘째 쑹칭링은 쑨원의 비서로 활동하다가 사랑을 하게 되었는데, 당시 쑨원은 정치적인 슬럼프에 빠졌을 때였고, 그녀를 만난 후 그는 정치적 생명을 얻은 것처럼 커다란 지원을 받았다고 합니다. 하지만 이들의 결혼은 쉽지 않았는데, 당시 송씨 가문의 위세는 대단한 것이어서, 권력도 기반도 없던 쑨원과의 결혼을 완강히 반대했습니다. 하지만 쑹칭링은 쑨원의 됨됨이와 정치적 인품에 감명을 받아 가족의 반대를 무릅쓰고 결혼에 성공했습니다. 그리고 쑨원의 아내라는 이름을 넘어 여성 혁명정치가로 활발히 활동을 했습니다.

▲ 장제스 1945년 3월

셋째 쑹메이링은 남편 장제스의 훌륭한 외교 참모이자, 퍼스트레이디로서 명성이 높아 해외 언론들로부터도 많은 관심을 받았습니다. 장제스는 쑨원이 총애하던 국민당의 후계자로 쑨원의 집을 자주 드나들면서, 쑹메이링을 보고 첫눈에 반했다고 합니다.

쑹메이링은 장제스와 결혼 후 남편을 그림자처럼 수행하면서, 개인비서 및 외교고문으로서의 실력을 발휘했습니다. 장제스와 함께 전국을 누비면서 그녀의 발자취가 중국 전역에 닿지 않은 곳이 없었는데, 충실한 외교 고문 역을 맡으면서 구미 각국들과 외교 관계를 수립하고, 서양 학문에 대한 뛰어난 식견으로 장제스를 완벽하게 보좌했습니다. 이외에도 그녀는 정치사회 활동에 폭넓게 참여하여 여성단체와 아동복지단체에서 단체장을 맡기도 했습니다.

또한 그녀는 항일전쟁 때 항공위원회 비서장을 역임했고, 1943년에는 카이로회담에 참석하여 통역을 맡았으며, 1948년에는 남편을 대신해 미국으로 건너가 원조를 요청하기도 하는 등 적극적인 활동을 전개했습니다. 그래서 장제스는 말년에 아내를 두고 '지혜로 따지면 제갈공명 아내를 능가하고, 능력으로 따지면 측천무후도 비교할 수 없으며, 강하기로 말하면 서태후보다 백 배 더 강하다.' 고 칭송했을 정도랍니다. 장제스가 죽은 이후에 106세까지 건강을 유지하며 장수했던 쑹메이링은 지금도 가장 존경받는 여성 정치인으로 기억되고 있습니다.

# 쑨원 삼민주의

곽은우 글 | 조명원 그림

**01** 중국의 근대화 시기에 혁명을 이끌고 '삼민주의'를 주창한 사람으로 '중국 혁명의 아버지'라고도 칭송받는 사람은 누구일까요?

① 마오쩌둥　② 장제스　③ 칭기즈칸
④ 쑨원　⑤ 후르시초프

**02** 쑨원이 제창한 중국 근대 혁명의 기본 이념을 무엇이라고 할까요?

① 삼민주의　② 군국주의　③ 민주주의
④ 사회주의　⑤ 자본주의

**03** 삼민주의를 바르게 묶은 것을 고르세요.

㉠ 민족주의 : 민족의 독립을 목표로 하는 것으로 제국주의로부터의 해방을 도모한다.
㉡ 민권주의 : 권리를 인민에게 되돌리자는 의미로 주권(主權)을 강조하였다.
㉢ 근대주의 : 과학과 합리성을 중시하고 널리 근대화를 지향하였다.
㉣ 공산주의 : 사유재산을 없애고 공유재산을 실현하여 빈부의 차를 없애려고 하였다.
㉤ 민생주의 : 경제적 이익을 위하여 토지 평등 분배, 경제적 불균등 개선을 주장하였다.

① ㉠ ㉡ ㉢　② ㉡ ㉢ ㉣　③ ㉠ ㉢ ㉣
④ ㉠ ㉡ ㉤　⑤ ㉢ ㉣ ㉤

**04** 쑨원이 제창한 삼민주의 중 다음 설명이 말하는 것은 무엇일까요?

- 이것은 중국 민중의 권리를 회복하자는 의미로 자유와 평등을 내포한다.
- 서양의 입법, 사법, 행정의 3권 분립에다가 중국의 전통적인 감찰원과 고시원을 독립시켜 5권 분립으로 구성하고 있다.
- 처음 발표했을 때는 청 왕조로부터 권리를 되찾자는 주장이 점차 '제국주의와 결탁을 맺고 있던 군벌을 타도'하여 그들의 권리를 인민에게 되돌리자는 의미로 사용되었다.

① 민본주의 ② 민족주의 ③ 민권주의
④ 민생주의 ⑤ 민족자결주의

**05** 쑨원이 제창한 삼민주의 중 다음 설명이 말하는 것은 무엇일까요?

- 중국 13억 민중의 힘을 결집하자는 주장이다.
- 서양이 급격히 인구가 늘어나고 있고 정치 · 경제적 억압이 가혹해지는 위기의식에서 나왔다.
- 흩어진 모래와 같다는 중국인의 민족성을 비판하고 중국의 대(大) 결집만이 중국의 멸망을 막을 수 있다고 주장한다.

① 민본주의 ② 민족주의 ③ 민권주의
④ 민생주의 ⑤ 자유주의

07 ① : 중국혁명동맹회는 1905년에 쑨원(孫文)이 중심이 되어 결성된 혁명적 정치 단체로서 삼민주의(三民主義)를 바탕으로 민족 운동 혁명을 추진하였으며 반청 무장 투쟁을 벌이기도 했습니다.
08 ⑤ / 09 ① / 10 민족주의, 민권주의, 민생주의

**06** 1911년(辛亥年)에 일어난 중국의 민주주의 혁명으로 쑨원이 임시 대총통을 맡고 삼민주의 정신을 지도이념으로 한 중화민국(中華民國)을 탄생시킨 이 혁명은 무엇일까요?

---

**07** 서양 제국주의의 침략이 거세질 때 중국의 청년 지식층은 이 조직을 결성하였고 신해혁명을 성공적으로 이끄는 공작을 수행했습니다. 중화민국이 성립되자 공개 정당이 되고, 국민당으로 개편되었던 이 혁명 추진 세력은 무엇일까요?

① 중국혁명동맹회　② 의화단　③ 공산당
④ 군벌　⑤ 홍위병

**08** 신해혁명을 성공적으로 이끈 쑨원은 총통을 이 사람에게 양보하고 중화민국이라는 공화정을 세우는데, 총통이 된 이 사람은 스스로 황제가 되려고 하는 등 독재를 하여 정국을 더욱 혼란스럽게 했습니다. 이 사람은 누구일까요?

① 서태후　② 장제스　③ 마오쩌둥
④ 덩샤오핑　⑤ 위안스카이

## 정답

01 ④ / 02 ①

03 ④ : 삼민이란 민족, 민권, 민생을 가리킵니다.

04 ③ / 05 ②

06 신해혁명 : 중국 청 왕조를 무너뜨리고 동아시아 최초의 공화국인 중화민국을 건립한 혁명을 흔히 신해혁명이라고 합니다. 혁명 봉기가 일어난 해인 1911년이 간지(干支)로 신해년이기 때문입니다.

**09** 쑨원은 중국의 근대적 혁명 이론인 삼민주의를 주창해 중국 근현대사의 변화 과정 속에서 이것을 진화시켰습니다. 《삼민주의》는 그가 전국적으로 시행한 이것을 통해 모아 편찬한 것인데, 쑨원이 대중들에게 혁명 이론을 알리기 위해 노력한 이 분야는 무엇일까요?

① 연설 ③ 방송 출연 ③ 지방자치 운영

④ 수필집 발간 ⑤ 토론 대회

**10** 쑨원이 주창한 삼민주의의 '삼민'을 설명하세요.

____________________________________________

____________________________________________

____________________________________________